Patrick Chamoiseau

Chronique
des sept misères

SUIVI DE

Paroles de djobeurs

Préface d'Édouard Glissant

Gallimard

Patrick Chamoiseau a publié du théâtre, des romans (*Chronique des sept misères, Solibo Magnifique, Biblique des derniers gestes*), des récits (*Antan d'enfance, Chemin-d'école*) et des essais littéraires (*Éloge de la créolité, Lettres créoles, Écrire en pays dominé*). En 1992, le prix Goncourt lui a été attribué pour son roman *Texaco*.

UN MARQUEUR DE PAROLES

La littérature antillaise de langue française qui avait beaucoup d'éclat prend désormais corps. Elle investit, avec une intensité croissante de production, le mélange de cultures dans cette partie du monde, la quête d'un passé historique hier encore interdit, l'avancée périlleuse dans les conforts et les pièges du monde moderne, l'aventure d'un langage en gestation sous les espèces de plusieurs langues pratiquées. Les Antilles et la Caraïbe balisent un des versants vertigineux du brassage planétaire.

Patrick Chamoiseau est d'une génération qui n'a pas vibré aux généralités généreuses de la Négritude, mais qui a porté son attention sur le détail du réel antillais. Le détail? Il faudrait plutôt dire la masse inextricable du vécu, l'interrogation des sources du langage et de l'histoire, le débroussaillage de ce que j'ai nommé notre antillanité, tellement présente et menacée.

Il n'est pas étonnant que sa première œuvre romanesque publiée, cette Chronique des sept misères, nous plonge dans l'univers des « djobeurs » martiniquais. Le « djob », mode du charroi ou du transport et, par extension, travail inqualifiable et chaque jour ressuscité, a été le moteur, dans les villes antillaises

3

en formation, d'une économie de subsistance qui était déjà la règle dans les campagnes, et qui est un mode de la survie. L'art de la survie est le douloureux et joyeux talent des peuples sous-développés. Le djob – mot adopté de la langue anglaise, comme pour mieux suggérer un écart – marque le stade « industrialisé » de cet art. Le djobeur a son secret, qui est d'inventer la vie à chaque détour de rue. Il construit sa rhétorique, dont le code est réservé aux seuls usagers, mais dont la richesse éclabousse alentour. Sa parole exalte un espoir dont le lancinement quotidien débouche sur une manière de magie. Le marché, son habitation naturelle, est tout à fait le ventre prodigieux du monde.

L'art de décrire qui convient à l'exploration d'un tel univers ne peut qu'outrepasser l'apparence et déceler, par-dessous, l'inimaginable appétit d'errance qui rythme la mécanique de l'existence. On retrouve là ce que Jacques-Stephen Alexis d'une part, et Alejo Carpentier d'autre part, appelaient le réalisme merveilleux : ferment d'une littérature du baroque dont l'Amérique du Sud a donné d'éclatants exemples.

Mais les djobeurs disparaissent, laminés par la prolifération des grandes surfaces, par l'explosion d'une consommation massive et passive qui ne justifie même plus qu'on invente le travail ni qu'on travaille à le maintenir jour après jour, serait-ce sous cette forme éternellement avortée. C'est là, aux yeux des économistes, le principal mystère d'une société exploitée dans le confort, usée dans la satiété, en plein malaise de civilisation. Le djobeur nous apparaît dès lors comme un résistant fondamental, dont l'ombre parlante exprime nos inconscients et dont le geste (la gesticulation pathétique) nous

4

renvoie à des interrogations valables pour tous.

Savourant les bonheurs d'expression, dans les histoires que conte Chamoiseau, nous apprécions sa technique, laquelle convient à cette usure, porteuse de leçons et vivace malgré tout. Son récit s'ordonne à la manière d'un suspens, il roule, au bord d'une catastrophe incessante, dont les résolutions successives éclatent en humour et en humeurs dévergondées. Je retrouve là le savant halètement des conteurs créoles : la parole y contraint d'attendre la parole, dont la « chute » étonne et éclaire. Cette pratique d'écriture s'est réaffirmée dans le deuxième roman de Patrick Chamoiseau : Solibo Magnifique.

Elle s'articule autour de la rencontre, hier encore dénaturante, des langues française et créole. On reprochera ici aux écrivains antillais « d'enrichir » la langue française au détriment du créole ou de sa nécessaire défense, et là, de pervertir cette même langue, d'y introduire la cassure secrète d'une folle et inédite diversité. Reproches qui convergent dans la même stérile convention. Les langues n'ont pas d'a priori, comme elles n'ont pas de surmoi. La rencontre entre le créole et le français était dénaturante parce que la domination florissait. Mais la pratique littéraire des langues est cela même qui permet de les libérer en nous; et si leur usage n'est pas innocent, du moins pouvons-nous prétendre aujourd'hui que leur fréquentation ne saurait être univoque. La passion du multilinguisme nous occupe. Cette passion ne signifie nullement que nous ayons à confondre une langue dans une autre, au contraire. La présence planétaire de toutes les langues possibles requiert davantage encore, en invention et en rigueur, de celui qui prétend à la poétique d'une d'entre elles.

5

Ces considérations, austères et non savantes, ne nous éloignent pourtant pas du talent romanesque de Chamoiseau. Dans l'univers multilingue de la Caraïbe, il nous avertit lui-même qu'il se considère comme un « marqueur de paroles », « oiseau de Cham » ou « Chamgibier », à l'écoute d'une voix venue de loin, dont l'écho plane sur les lieux de notre mémoire et oriente nos futurs. C'est reconnaître qu'il marche à cette lisière de l'oral et de l'écrit où se joue une des perspectives actuelles de la littérature.

Préserver ou promouvoir aux Antilles l'épanouissement de la langue créole, en la différenciant d'un patoisement francisé, c'est courir vaillamment à cette lisière. Une des manières d'y participer est aussi d'informer le français des inventions du créole : c'est bien servir aux deux sans en abâtardir aucun. L'explosion des trouvailles de Chamoiseau, souvent et ingénument ancrées dans des transpositions littérales, qui s'avouent pour telles, nous procure une rare félicité de lecture. La même que nous prenons aux œuvres d'Alejo Carpentier, aux volutes savantes de Lezama Lima, aux textes créoles du haïtien Franketienne, à la dub-poetry de Michael Smith et des poètes jamaïquains.

Notre réel caraïbe est ainsi collectivement exprimable. Si les héros dont nous rêvons (que nous créons?) se rejoignent à ces croisées du conte, de la misère et de l'illumination, c'est parce que de nos Amériques monte le même chant d'ombre et de lumière. Patrick Chamoiseau nous en donne ici une version singulière : fidèle à la couleur d'ensemble et pétillant d'une inspiration très personnelle. Prenez plaisir à l'écouter.

Édouard Glissant

CHRONIQUE
DES SEPT MISÈRES

Au Corbeau,
qui m'a donné d'écrire.

A Tio-tio,
qui m'a donné l'essentiel.

A Ninotte,
ma mère,
qui m'a tout donné.

P. C.

Première partie

INSPIRATION

*... les histoires lézardent l'His-
toire, elles rejettent sur des bords
irrémédiables ceux qui n'ont pas eu
le temps de se voir au travers des
lianes amassées.*

ÉDOUARD GLISSANT
Le discours antillais
(Le Seuil)

Messieurs et dames de la compagnie, les trois marchés de Fort-de-France (viandes, poissons, légumes) étaient, pour nous djobeurs, les champs de l'existence. Une manière de ciel, d'horizon, de destin, à l'intérieur de laquelle nous battions la misère.

En vous confiant qui nous étions, aucune vanité n'imprégnera nos voix : l'histoire des anonymes n'ayant qu'une douceur, celle de la parole, nous y goûterons à peine. Riches seulement d'une brouette et de son maniement, nous ne cultivions rien, ne pêchions rien, n'apportions rien. Et notre participation à la vie du marché n'avait point, comme pour les tôles du toit, les grilles ou le ciment des établis, la confortable certitude d'y être indispensable.

Dès l'instant où la marchande eut des paniers trop lourds, apparurent les djobeurs, d'abord pour l'aimable coup de main, puis le service de chaque jour que la marchande payait en fin de journée, selon son cœur. Cela s'inscrivit bientôt dans un savoir-faire dont les règles se transmirent. Comment connaître qui furent nos pères ? Ils avaient certainement, comme

15

beaucoup mais sans doute avec moins de talent, quitté la boue des plantations en vue d'affronter l'existence sur le ciment de la ville, moins propice aux dérapages. Ils durent, dans leur errance d'exil, s'habituer à venir gober les mouches là où il y avait grande vie et la présence rassurante de leurs campagnes natales : les places de marché. On vit les nœuds de leurs bras. La vigueur de leurs cuisses. On les sollicita pour tel et tel service, telle commission à charrier vers untel – merci – beaucoup... On les appela afin de maîtriser les bœufs, rattraper les cochons, déplacer les bourriques obstinées. Ils se bâtirent et nous héritâmes de leur science, imperceptible, mais qui déjà nous distinguait des nègres inaptes, ceux qui n'ont d'industrie que le battement de leur cœur.

Transporter des paniers de marchandes, les produits à exposer sur des nappes de madras, leur ramener une la-monnaie, rendre de menus services en échange de quelques sous, c'était la crème du djob – notre moyen d'existence.

Mais nous avions si peu d'attaches que notre présence était presque impériale parmi ceux qui devaient, ancrés à leurs étals, plumer tant de misère pour mordre dans l'existence. Entre ces paniers de légumes, les jours n'avaient que peu d'éclat, aucune exaltation n'enflammait le regard, mais ici, dans les diverses périodes, la dèche affrontait ses meilleurs adversaires.

Or, le meilleur de tous fut de tout temps Pipi, maître-djobeur, roi de la brouette, coqueluche des jeunes marchandes et fils de toutes les vieilles. Calebasse majeure, il recueillit en lui les bourgeons et la pulpe, et, comme une seule mangue dit les essences de l'arbre, ce qu'il fut nous le fûmes. Donc, manmaye ho! parler de nous rend inévitable et juste de vous parler de lui...

MÈRE ET DORLIS

Au démarrage, prenons le commencement, donc sa mère, celle que nous appellerons Man Elo et qui deviendra reine incontestable du manger-macadam. C'était une femme ni laide ni jolie, rien ne se distinguait vraiment chez cette négresse calme et méthodique. Elle fut la neuvième fille de son père. Ce dernier, au sortir d'une nuit d'espoir devant la porte de la chambre où Fanotte, sa femme, s'était gourmée avec les affres d'un accouchement, laissa échapper un cri de déception et de colère :

– Yin ki fanm, fanm ki an tÿou mwen! (Je n'ai que des femmes aux trousses!)

Malgré les crapauds cloués et la petite bouteille d'eau bénite, le destin lui envoyait encore une fille. Désespéré, il disparut six jours durant dans les basbois.

Le malheureux était maçon, activité lucrative mais insuffisante pour nourrir ses huit filles et sa femme. Il était donc, en plus, éleveur de moutons, cochons, volailles, vendus de temps à autre pour ramener des sous. Il possédait aussi deux vaches laitières, et se

19

voulait expert en matière de crabes car chaque nuit, accompagné de ses huit filles réticentes, il sillonnait la mangrove du Robert où grouillaient ces crustacés. Il était enfin, de par des successions quelque peu mystérieuses, propriétaire d'une parcelle de terre inculte contre laquelle il guerroyait pour implanter ignames, choux durs ou patates douces. Si les petits travaux de maçonnerie au bourg du Robert, ou à droite-gauche dans les cases du Vert-Pré, occupaient ses journées, une partie de ses nuits se perdait dans ces activités où il se sentait seul, trop seul parmi ces femmes que ces choses-là indifféraient. Marmonnant à tout bout de champ : *Fanm fanm yin ki fanm ki an tÿou mwen!* il imposait dans sa tribu d'oiselles une réglementation brutale que Fanotte sa femme s'empressait d'adoucir dès son arrivée au bas du morne où l'attendait son vieux mulet. Dès cinq heures, les voisins entendaient la voix retentissante de Félix Soleil (son nom, oui) dispenser des instructions sévères à ses gazelles et conclure par un : Faites attention à moi, hein ? bon !... Puis il s'en allait, lançant son traditionnel : Bon Fanotte véyé sé ich ou-a ! (Surveille tes enfants !) à sa femme qui lui tendait sa gamelle de morue frite-avocats-choux durs.

A peine était-il parvenu au bas de la pente que ses filles jusque-là éteintes s'ouvraient comme des fleurs sauvages et, dans des mouvements qui agitaient leurs jeunes seins sous le coton des gaules, accompagnaient son éloignement de grimaces libératrices. Fanotte, soulagée elle aussi, feignait de ne pas les voir. Mais les macaqueries terminées, soucieuses de préserver l'écale de leur dos d'un châtiment de liane verte, les fillettes entreprenaient les tâches dévolues à chacune. Hélas, cet âge n'étant pas responsable, Alice et Adèle déchaînaient un zouelle (jeu) parmi les herbes qu'elles devaient arracher, interrompant parfois leurs courses pour saisir d'un geste délicat un brin d'herbe par-ci ou par-là, et s'offrir derechef une demi-heure de bonne conscience. Félicité, assise devant son coutelas, à l'endroit exact où elle devait creuser les trous d'ignames, changeait le papier de ses papillotes. Pauline, de son côté, se mettait une robe tellement bien repassée et des chaussures tellement bien cirées qu'elle n'avait pas l'air de partir en quête d'herbe grasse dans les ravines. Seules Armande et Caroline, d'ailleurs plus âgées, travaillaient avec application, l'une au fond de la citerne du toit, l'autre dans le bourbier des pièges à crabes, mais la tâche les rebutait tant que les crabes s'échappaient par dizaines, que la lie de la citerne était inépuisable. Quant à Jocelyne, après avoir jeté deux casseroles d'eau dans le parc à cochons en guise de nettoyage, et balancé à ceux-ci comme aux volailles quelques pattes de bananes trop mûres, elle poussait généralement un cri de haine aux moutons et aux vaches, qui les dispersait en un galop aveugle à travers la savane. La belle les suivait de loin, bucolique et rêveuse, charmée par les fleurs des raziés. Ginette, elle, arrivée tardivement au marché du Robert, se voyait reléguée dans un coin peu achalandé, et demeurait derrière son panier d'ignames maigres, plongée dans une attente érémitique nullement brisée par ses Man ni bel yanmes vini ouê mwen! (J'ai de belles ignames, venez me voir!) ou ces prières magiques de chaque heure destinées selon Fanotte à ramener le client. Cette réclusion ne l'empêchait pas, si d'aventure quelque commère venait s'enquérir de ses prix, de refuser toute vente, tant il est vrai, comme l'affirmait Fanotte, que seul un mâle à deux graines pouvait inaugurer une journée honorable. Ainsi, vers quatorze heures, le marché languissant, elle se retrouvait avec un plein panier qu'elle bradait alors à pleins gaz. Pendant ce temps, Fanotte la mère, femme ternie, écrasée par l'autorité de son mari, ne s'occupait point de ses filles. Elle balayait sa case, gonflait les paillasses, mettait à l'embellie le linge lavé de la veille, à tremper le reste de linge sale, à cuire quelques bananes ti-nains et un bout de viande salée, puis se dirigeait vers l'abri de tôles en bordure de la route coloniale où elle tenait boutique d'épices et de barres de glace. Elle y passait ses journées, remontant toutes les heures pour véri-fier et compléter son manger, s'assurer qu'Adèle et Alice n'avaient pas été terrassées par une Bête-longue* dans ces herbes folles qu'elles se devaient d'arracher depuis une charge de temps. La journée s'écoulait ainsi jusqu'au moment où, gravissant la côte, retentissaient les toussotements du vieux mulet de Félix Soleil.

Le mulet à peine parqué, Félix Soleil halait une liane verte de ces broussailles qu'en créole d'ici-là on appelle des raziés, et la lissait entre ses doigts durcis par le ciment. Sans même une halte dans la boutique où Fanotte le guettait, il s'élançait, saisi d'une rage anticipée, vers sa case en gueulant le Sé fanm-la mi mwen! (Femmes me voici!) qui jetait une panique indescriptible parmi ses filles. Adèle et Alice, toujours attardées dans les zouelles, tâtaient généralement les premières de la liane du jour – puis c'était au tour de Ginette qui ne parvenait jamais à expliquer comment de si belles ignames pouvaient donner ça seulement

* Pas de folie, ami : n'utilise que ce terme pour désigner le serpent...

22

d'argent?... Défilaient ensuite sous la bourrelle végétale Caroline (la citerne était encore sale, ou pas encore remplie), Pauline (sa touffe d'herbes grasses portée en oriflamme ne la disculpait jamais), Jocelyne (toujours incapable d'expliquer clairement où étaient passés moutons et bœufs), Félicité (en une journée c'est pas un petit trou d'igname seulement qu'on peut faire, je te dis!), et enfin Armande, muette sous les coups, tant elle était exténuée d'avoir traqué des crabes en fuite, tandis que Félix Soleil en sueur, maniant à tour de bras la liane maintenant effilochée, hurlait son incapacité à admettre que soixante-dix cages puissent procurer quinze crabes seulement, tonnan di sô!... La distribution achevée, le maçon s'asseyait à sa table, où Fanotte lui servait un punch trois-doigts qu'il sirotait amèrement avant de partir à la recherche de moutons, bœufs, et reposer les pièges à crabes.

Félix Soleil associa donc la femme à tous les malheurs de sa vie, puis à ceux de la terre entière, bientôt de l'univers. Vint une époque où la colère ne le quitta plus. Sa terrible voix fissurait les cloisons de la case, et, certaines nuits de pleine lune, on le voyait depuis sa petite cour lancer contre l'astre son *Fanm fanm yin ki fanm ki an tÿou mwen!* Vers cette époque aussi, des amis compatissants lui expliquèrent qu'il était impossible à un homme deux-graines de n'engendrer que des filles, rien que ça, alors il faut croire tout net une chose, Félix : quelqu'un a envoyé quelque chose derrière toi!... Du coup, Félix Soleil livra une guerre sans merci aux crapauds égarés dans un périmètre délimité à la chaux autour de la maison. Il y en avait tant et tant chaque nuit, le double quand il pleuvait, que pour lui ces bestioles (forcément

23

soumises aux ordres d'un voisin malveillant) transportaient le maléfice dont il voulait se débarrasser. Un vendredi, juste avant la fermeture de l'église du Robert, il plongea une fiole dans le bénitier afin de la remplir d'eau sacrée. Ce même vendredi 13, il confectionna dans du bois-bombe une centaine de petits pieux, aspergés d'eau d'église, avec lesquels il se mit en devoir de clouer au sol les crapauds avancés à moins de dix mètres de la case. Bientôt l'on vit autour de sa maison un grouillement de ces batraciens, séchés, véreux, agonisants sous des assauts de fourmis, crucifiés par les pieux. Chaque soir, Félix Soleil inspectait ses victimes et les mouillait d'eau bénite à la pointe d'un bambou, en murmurant des prières qu'il disait imparables.

Les fillettes de Félix Soleil devinrent des femmes. Un jour incroyable, elles trouvèrent en elles-mêmes le courage de l'envoyer paître, lui, ses poules, ses cochons, ses moutons, ses crabes, et toute la compagnie que tu veux car on a assez maintenant avec toi. Sans un mot, le maçon revêtit son linge d'enterrement, gagna le bourg pour s'y faire aiguiser un coutelas, puis revint chez lui en agitant l'arme au-dessus de sa tête. Le métal coupait l'air avec un sifflement désagréable tandis que Félix Soleil intimait à ses ingrates : Bandes de putaines fouté likan* bôbô et salétés !... Il les poursuivit sans rémission jusqu'au Robert, où les malheureuses ne durent la vie sauve qu'à l'intervention énergique des gendarmes-à-cheval. Après la dispersion de ses filles, le maçon plongea dans une quiétude béate, donnant l'impression d'être heureux malgré la rage froide avec laquelle il trans-

* Fichez le camp...

perçait encore les crapauds imprudents. Quelque temps plus tard, Fanotte tomba de nouveau enceinte. Félix Soleil poussa un cri de guerre qui s'entendit jusqu'à Trinité :

– Aaah, koutala aké an ti bolomm! (Ça sera un garçon!)

Il redoubla de férocité envers les crapauds. On en trouva transpercés et bénis dans un rayon de deux kilomètres autour de chez lui. Sa suspicion s'étendit aux soficougnans, aux ravets rouges, aux chouval-bois, aux bêtes-z'oreilles, aux mabouyas traqués dans les coins humides, aux sauterelles, aux punaises, à toutes bestioles échouées dans son cercle vital. Le tout était enveloppé dans des chiffons que l'abbé repêchait chaque matin dans le bénitier. Quand les douleurs de l'accouchement saisirent Fanotte, Félix Soleil appela (non Philomène qui lui avait mis au monde ses huit filles de malheur) une matrone du quartier Coubaril se faisant appeler Sœur Sainte-Marie. Cette dernière se targuait de ne faire voir le jour qu'à des garçons aux graines bien plantées. Le travail fut long et pénible.

– On a dû l'amarrer dans son ventre, diagnostiqua immédiatement Sœur Sainte-Marie.

Pour rompre le charme qui retenait l'enfant, elle appliqua contre le front douloureux de Fanotte un mouchoir imbibé de la sueur des aisselles de Félix Soleil. Dans la salle rougie par la lampe, ce dernier vivait l'attente la plus terrible de son existence. Au premier cri du bébé, l'angoisse le plaqua contre la porte de la chambre.

– Sœur Sainte-Marie souplé, esse cé an tigasson? (est-ce un garçon?) balbutia-t-il.

– Sœur Sainte-Marie est partie par la fenêtre, lui répondit Fanotte, car c'est une fille, Félix.

Félix Soleil ne tint même pas à voir l'enfant. Il disparut six jours dans les bois du Vert-Pré. On le vit longer les champs de cannes sous des pluies fines. On le vit courant à travers des campêches, se faufiler dans des ravines inaccessibles. On le croyait désormais voué aux errements autour des fromagers, quand finalement il revint chez lui, vieilli par une barbe naissante, pour trouver Fanotte en compagnie de sa neuvième fille, charmant bébé nommé Héloïse qui, une charge d'années plus tard, devint reine du macadam au marché de Fort-de-France, mère de Pipi – Man Elo notre commère.

Héloïse n'ajouta rien au malheur de son père. Elle ne provoqua jamais sa colère. Résigné, le maçon ne parla pas de crabes, d'herbes grasses, de citerne ou de vente au marché, à sa neuvième déception. Il lui demanda seulement de s'occuper des moutons et des vaches, ce que la fillette adorait par-dessus tout. Elle se sentait libre dans ces savanes où le soleil déversait un cristal permanent, parfois vitreux. Les cabouyas organisaient, malgré leur délire, un bel équilibre de parfums, de couleurs, d'ondulations. Suivie des moutons et des vaches, la future Man Elo explorait les secrets d'herbes où les chocs de la vie et de la mort restent inaperçus. Sous la pluie, tout se défaisait pour une autre existence, avec des odeurs et des couleurs nouvelles – mais la placidité morne revenait dès le premier soleil. Les bêtes ne quittaient pas Héloïse. Elles s'accordaient parfaitement à la fillette dont chaque pas était une lecture de ce labyrinthe naturel. Ainsi, dans ce bonheur où n'apparaissait qu'une application consciencieuse à la garde des bêtes, Héloïse apaisa son père.

Contrairement à ses sœurs, elle put se rendre à l'école. Ce fut un monde nouveau, hors de la réalité même, où elle apprit à lire et à écrire en français, langue insolite qui surprenait ses parents. Fanotte exigea là même que sa fille l'utilise en s'adressant à elle, et le respect alors? Félix Soleil, par contre, ne semblait jamais pouvoir s'en accommoder. Cette langue lui était certes familière (c'était celle des gendarmes-à-cheval) mais il ne l'avait pas imaginée dans sa maison. Roulant de gros z'yeux, il marmonnait donc des *Fanm fanm yin ki fanm ki an tÿou mwen!* chaque fois qu'Héloïse lui récitait des histoires de cigale ayant chanté tout l'été mais qui se trouva oui fort dépourvue quand la bise fut venue... La future Man Elo grandit ainsi avec son père qui, en la regardant, cherchait toujours à deviner le malheur dont elle serait la cause, et une mère oubliée, tant elle était discrète. Elle visitait souvent ses sœurs dispersées à Fort-de-France, Morne-Rouge, Saint-Esprit, Marigot, dans des cases où, dans la crainte de retrouver leur père sous les traits d'un mari ou de n'importe quelle qualité d'homme, elles vivaient solitaires. Héloïse quitta l'école quand elle ne comprit plus rien au monde français, et s'occupa de la boutique de Fanotte maintenant ratatinée et presque aveugle. Félix Soleil, lui, ridé et blanchi, restait djok, très alerte. Il n'exerçait plus la maçonnerie car ses yeux le trahissaient, et avait vendu son cheptel depuis qu'Héloïse (jeune femme à tétés) ne pouvait plus se permettre d'errer dans les savanes. Toujours passionné par les crabes, il s'en occupait maintenant en permanence et les casait jusque dans les poulaillers. La jeune fille et les deux vieillards vivaient de la boutique et de la vente des crabes à la Pentecôte et à Pâques. La vie s'écoula ainsi. Héloïse devint une femme qui n'attirait guère les galants. Préoccupée de la boutique et de Félix Soleil, maintenant à demi paralysé dans un fauteuil à bascule, elle avait fini par oublier Fanotte, tellement discrète parmi les hardes de la paillasse où elle restait allongée qu'à sa mort, par prudence, l'on mit le tout en cercueil.

Héloïse et son père vécurent côte à côte, sans se parler. La presque vieille fille recevait de temps à autre la visite de ses sœurs. Ces dernières ne perdaient pas une occasion de persécuter leur vieillard de père, lui criant aux oreilles des : Yin ki fanm ki an tÿou'w!? (Tu n'as que des femmes aux trousses!?) et feignant de le cingler avec une liane. Félix Soleil ne comprenait pas, ne comprenait plus rien. Absorbé par une colonie de fourmis folles installée dans ses vêtements et les plis crasseux de sa peau, il laissait la vie tout entière glisser sur une indifférence sénile. Il mourut un dimanche, sans ti-bois ni tambour, excepté le départ des fourmis, avec pour seul viatique le reste de la fiole d'eau bénite qu'il avait eu le temps de se vider sur la tête. Héloïse lui fit graver sur une plaque de ciment un : Ci-gît Félix Soleil notre père, qui n'eut que des femmes devant et derrière lui. Quand on voulut l'enterrer près de son épouse, on ne retrouva nulle trace de cette dernière malgré un ratissage du cimetière. C'est, en désespoir de cause, dans son unique costume de ville, avec sa fiole d'église et des gerbes d'arums blancs, un solitaire que l'on confia au sol.

Alors, mesdames et messieurs de la compagnie, voici comment vint le dorlis, père de Pipi. De retour du cimetière, Héloïse s'en allait à petits pas vers un destin définitif de vieille fille, quand quelque chose se déclencha dans la tête d'Anatole-Anatole, fils du fossoyeur, qui s'avisa de la suivre. Anatole-Anatole était un de ces nègres dont les parents, ou même les arrière-grands-parents, n'avaient pas fréquenté le moindre béké* ou métis. Il avait donc conservé une peau d'un noir magistral où le soleil semblait se perdre infiniment. Le terrain du cimetière avait appartenu à son père, nègre hilare s'il en fut, qui tenait d'un hasard de la vie ce bout de terre déserté même par les herbes pugnaces. Il s'appelait Phosphore, était athée, et se moquait ouvertement de l'église, des dieux blancs, et surtout du curé à qui pourtant il ne refusa point sa parcelle rocailleuse.

– Si c'est pour un cimetière, monsieur l'abbé, tu peux la prendre, oui...

Il était dommage, disait l'abbé, qu'on enterrât les morts près de la croix du carrefour, autour des fromagers, et même derrière les champs où, bien entendu, Notre-Seigneur n'avait pas le temps d'aller repêcher leur âme. La parcelle acquise, le curé planta une pancarte signalant à tous le nouveau champ des morts. Il y transporta dare-dare les restes de sépultures éparses dans la campagne. Les premières tombes apparurent sur la terre du nègre Phosphore, qui, pour se distraire, se promena entre leurs monticules, lançant son rire de cheval à la lecture des épitaphes. Le curé s'en émut et clôtura le cimetière. Sans une ni deux, Phosphore renversa pieux et barbelés, et reprit son inspection amusée. Le curé lui intima l'ordre de sortir. Phosphore répondit au représentant de Dieu

* Descendant des premiers colons blancs.

qu'il pouvait aller chier car le terrain est à moi, même si je vous ai laissé mettre vos machins dessus. Choqué, l'homme d'Eglise saisit Phosphore par le cou, le renversa, et entreprit de le traîner par les pieds hors de l'aire du repos. Le nègre parvint à se relever et lui infligea une volée de bois vert. Humilié, le curé eut cette réplique foudroyante qui nous effraye encore dans les cases : il secoua sa robe sur son adversaire.

Ô triste vie du nègre Phosphore! Ce geste fatal lui ôta son rire, la flamme de ses yeux, et l'obligea à tournoyer entre les tombes. Plongé dans l'état du colibri soûl, il ne quitta plus le cimetière, enraciné à l'endroit où le destin l'avait frappé. Ninon sa femme le visitait chaque jour avec des calebasses de soupes bonifiées d'herbes favorables à la tête. Preuve de sa folie irrémédiable, Phosphore ne s'adressait qu'à des personnes invisibles. Seule la fatigue arrêtait sa marche entre les tombes, l'abattant au coin du cimetière où Ninon, résignée, lui avait fait construire une petite caye (case). On s'habitua si bien à son état que personne ne put bientôt l'imaginer autrement. Chaque midi, chaque soir, Ninon remplaçait son manger mais n'essayait même plus de lui parler. Phosphore s'occupait des tombes, les nettoyait, rallumait les bougies, reconstituait les bouquets décoiffés par le vent. Un jour, il creusa les fosses des macchabées de la dernière heure. Le nouveau curé, venu à maintes reprises bénir la victime de son prédécesseur, le nomma un dimanche, du haut de la chaire, fossoyeur en titre. Le nègre Phosphore devint alors Phosphore-le-Fossoyeur, et on le traita comme tel. Ninon, elle, fut désormais la femme-du-fossoyeur : cela brisa définitivement la vente de ses balais. Leur fils, Anatole-Anatole, en vertu du principe selon lequel les enfants du tigre ne naissent pas sans griffes, devint le petit-fossoyeur, ce qui, ma chère, ne lui laissa guère de choix quand il chercha métier.

Anatole-Anatole avait d'ailleurs pris l'habitude de suivre son père dans ses marches sans fin sur la terre de derrière le destin. Il imitait sa façon de marcher, les droite-gauche de sa tête. Parfois, Ninon l'autorisait à passer la nuit avec son père dans la petite case, récif de vie dans l'océan des morts, et l'enfant participait à l'écoute attentive des bruits de vie grouillante provenant des caveaux. Les mottes de terre et les dalles vibraient d'amours et de regrets. L'adolescent s'en étonnait; Phosphore, le couvrant d'un regard de lune morte, lui murmurait avant de replonger dans son absence : Ah, pitite, ce que tu ne sais pas est bien plus grand que toi... Anatole-Anatole préféra le cimetière aux bancs de l'école. Il passa plus de temps à creuser des fosses en compagnie de son père, à poursuivre durant des nuits sans lune des voleurs de cadavres et autres maudits, qu'à la lecture ou l'écriture. Installé dans la case de son père dont les forces semblaient décliner avec l'âge, Anatole-Anatole assura une bonne part de l'entretien du cimetière. Leur complicité acheva de les couper du reste du monde. De temps en temps, ils quittaient leurs tombeaux pour boire un punch au bourg. Cela vidait non seulement le trottoir où ils avançaient, mais aussi l'infortuné bistrot dès que leurs ombres en touchaient le palier. Ils buvaient seuls, riant silencieusement, fiers de la crainte étalée autour d'eux. Cécène le tenancier psalmodiait au bout du comptoir les paroles bonnes contre la contagion des hommes de la mort. A leur départ, quand midi ramenait l'affluence, il brisait solennellement les verres où ils avaient bu, et saupoudrait les débris d'une poussière récoltée au treizième banc de l'église.

Ainsi passait la vie de Phosphore et d'Anatole-Anatole. Ninon, séduite par un couli* de Basse-Pointe, spécialiste en balai-bambou, avait ramassé ses affaires et quitté la région sans un coup d'œil au cimetière. Elle allait saisir, disait-elle, le destin par un bout différent. Un dimanche, Phosphore et son fils, assis près d'une tombe, écoutaient les confidences d'un enfant qui avait eu peur de grandir, quand on vint les avertir que Félix Soleil était mort : il avait rêvé, disait la rumeur, d'une dixième fille expédiée par Fanotte depuis l'autre bord, et son cœur n'a pas pu supporter la nouvelle je te dis, alors il lui faut une fosse car missié l'abbé a dit bras-pour-aller-l'enterrement-à-cinq-heures. Comme toujours, le père et le fils discutèrent de la place du nouvel arrivant.

– D'accord, papa, mais écoute : on va le mettre près du mur là au fond, comme il était maçon il va pouvoir le réparer de temps en temps...

– Tout juste, pitite, mais n'est-il pas mieux de le fourrer près de Fanotte, sa femme ?

– Hébin, je l'avais oubliée oui !

Ils ratissèrent le cimetière sans trouver trace de Fanotte. Quand le cortège arriva, la fosse était prête, près du mur, 'a dalle de ciment expédiée par Héloïse le matin même plantée au bout... Anatole-Anatole chargeait une extrémité de cercueil sur son épaule quand il aperçut Héloïse. Il l'avait déjà vue et elle ne l'avait pas attiré. Mais ce jour-là, baignée de larmes,

* Descendant d'Hindous immigrés.

32

privée net du suc d'éclat d'une personne bien en sang, elle semblait avoir rejoint le monde des morts-vivants. A force de côtoyer l'autre monde sur des frontières où l'âme chancelait, Anatole-Anatole appré-ciait tout ce qui réunissait la mort et la vie. Héloïse était des deux mondes : elle l'éblouit. Laissant son père mettre la dernière main à la nouvelle sépulture, il la suivit.

Ses sœurs parties, Héloïse s'en retournait seule vers la case silencieuse, quand l'effroi la saisit : un des hommes de la nuit, vivant du cimetière, la sui-vait!... Ses coups d'œil en arrière augmentaient sa frayeur. Anatole-Anatole se rapprochait. Ils avaient quitté le bourg, et quand Héloïse dépassa la dernière case, elle prit-courir pour elle sur la route chaude. Anatole-Anatole garda son marcher tranquille. A la case, le corps dérangé, Héloïse se barricada. Assise un instant pour calmer son cœur, elle guetta bientôt entre les persiennes. La route s'étirait en cour-bes douces jusqu'à une pente où elle semblait s'interrompre. C'est là qu'apparut la silhouette paisi-ble de son poursuivant. Héloïse en devint presque folle. Elle se frappa les poings contre les tempes, et serra dans un coin de la salle son corps agité. Elle entendit les pas d'Anatole-Anatole s'arrêter à la porte.

— Kesse tu veux maudit misérable, hurla-t-elle, marche ou bien j'envoie l'eau bénie sur toi...

Anatole-Anatole s'en alla. Son père, le voyant délabré comme une feuille de bananier au vent, sut que l'amour lui avait donné une première calotte :

— Alors elle t'a appelé démon maudit? s'inquié-tait Phosphore. Et elle n'a pas ouvert la porte? Bon.

Eh bien, pitite, si c'est une affaire d'amour, j'ai les outils qu'il faut pour ça. Je vais t'apprendre quelque chose...

Ce soir-là, Héloïse se coucha pour son dernier sommeil de vierge, car entre-temps le nègre Phosphore, ayant divulgué à son fils en chagrin la Méthode apprise d'une tombe, en avait fait un dorlis. La manière d'opérer d'Anatole-Anatole reste encore inconnue. L'on se perd en conjectures pour savoir s'il pratiquait celle du crapaud caché sous le lit, celle de la fourmi qui passe par les serrures, ou celle des trois pas devant-trois pas derrière qui permet de traverser les murs. Toujours est-il que, le soir en question, il se retrouva dans la chambre d'Héloïse malgré les ouvertures barricadées. Appliquant sa nouvelle science de dorlis, il la pénétra en son mitan sans la réveiller, et passa sur le corps endormi huit heures délicieuses. Ses grognements, ses pleurs, ses vibrations, ses petites morts sous le plaisir, se mêlaient aux légers ronflements de sa partenaire. Au pipiri, celle-ci se découvrit meurtrie comme un fruit tombé. A la vue des taches sanguinolentes de ses draps, percevant son ventre en attente d'une satisfaction que le sommeil avait bloquée, elle se sut souillée par l'homme de la mort, et passa la journée dans une bassine d'eau où trempait un chapelet. Le soir, elle enfila, comme il était dit pour se protéger des dorlis, une culotte noire à l'envers. Cela stoppa net Anatole-Anatole qui, de retour, s'apprêtait à pointer. Le dorlis versa des larmes d'impuissance sur ce contre-charme invincible. Il quitta la case pour en informer son père, impuissant lui aussi. Revenu dans la chambre, il tourna sur lui-même, malheureux comme un crabe sans trou, jusqu'à ce que l'aube inopinée lui donnât cette gifle magistrale qu'elle réserve aux engagés* surpris par la lumière. Depuis, Anatole-Anatole eut une moitié de visage blanche comme une bougie Saint-Antoine et devint chauve d'un seul côté. Désormais épouvantable, il se dissimula sous un chapeau-bakoua aux ailes tombantes sur les oreilles et ne sortit plus du cimetière qu'à minuit, menant une hécatombe au mitan des femmes endormies sans protection.

Rassurée par l'efficacité de son contre-charme, Héloïse retrouva une partie de son ancienne sérénité. Presque heureuse, elle attribua la disparition de ses règles aux heures d'effroi traversées, et se consacra à ses ventes de glace et d'épices. Son ventre se réveilla, mais elle ne conprit pas tout de suite. Elle ne comprit pas non plus quand il prit la courbe d'une calebasse et que ses seins s'alourdirent comme sacs de sel. Elle ne crut pas davantage, tant c'était inconcevable, sa cliente la plus fidèle qui souvent lui disait entre deux paroles inutiles : Aaah Héloïse, je suis bien contente pour toi car te voilà en situation... Un jour, elle sentit la présence d'une vie étrangère dans ses entrailles. Cette sensation inattendue la projeta dans l'horrible certitude de porter un enfant d'Anatole-Anatole, nouveau grand dorlis du pays. Trop désemparée pour tenter de s'en débarrasser, elle s'enferma dans sa case, soustrayant sa honte à la parole malveillante. Ce fut une grossesse de troglodyte dans la pénombre

---

* Ce terme désignait en créole ceux qui avaient passé un contrat (valets de boucaniers, petits-blancs, immigrants indiens, congolais après l'abolition de l'esclavage). On était alors *aux gages* de quelqu'un, tant à l'époque on exécutait aveuglément les ordres du colon. Le terme est maintenant appliqué à ceux qui sont supposés obéir au diable en échange de quelque pouvoir.

d'une maison aux ouvertures barricadées. Ses clients la crurent morte. Après avoir rôdé dans les abords, ils alertèrent la gendarmerie qui défonça la porte, ouvrit les fenêtres, chassa les insectes en prolifération, brisa les épaisses toiles d'araignées, et exposa la malheureuse aux regards de la foule. Choquée, elle en perdit ses eaux et l'on dut appeler d'urgence Sœur Sainte-Marie qui hala au monde un garçon.

– Tu vois, Elo, les garçons je sais faire ça, je l'avais dit à ton père défunt Félix, où est-il le pauvre pour qu'il voie ça, lui qui me croyait menteuse ? triomphait la sage-femme. Mais comment tu vas l'appeler, han ?

– Pierre Philomène, murmura Héloïse.

Sœur Sainte-Marie aida le nouveau-né à bien démarrer dans la vie. Elle le frictionna avec des feuilles de citronnier, de goyavier et de tamarinier tordues ensemble et macérées dans du tafia. Cela lui permettait, disait-elle, d'avoir toujours dans la vie la vaillance de ces arbres. Elle lui fit avaler de la mie de pain trempée dans du miel, secret de toute intelligence. Puis elle le langea, le cala sur la paillasse aux côtés de sa mère, enterra son cordon de vie sous un jeune cocotier, et s'en alla après avoir préparé ce thé d'herbes magistrales indispensable au ventre sinistré des femmes d'après-couches.

Sœur Sainte-Marie à peine partie, Héloïse sentit une présence dans la chambre malgré sa demi-inconscience. L'horreur était là : sinistre, immobile, le bakoua aux ailes tombantes sur chaque joue, Anatole-Anatole fixait son fils. Serrant le bébé contre elle, Héloïse hurla. Le dorlis s'en alla rapidement, le cœur brisé. Héloïse ne devait le revoir que bien des années plus tard, en plein jour, au marché aux légumes.

Le jour même, elle entassa ses affaires dans un sac de sucre vide et s'engouffra dans le cabrouet d'un gros chabin* suant qui descendait à Fort-de-France. L'homme la crut poursuivie par une troupe de zombis et lança au maximum ses rosses sur la route rocailleuse qui menait à la ville. Prostrée à l'arrière, le bébé plaqué contre elle, le sac sous le bras, Héloïse resta muette durant tout le voyage. Le chabin, dont l'inquiétude augmentait avec la tombée de la nuit, se sentit soulagé quand les premières maisons du quartier Château-Bœuf annoncèrent Fort-de-France.

— Où c'est que vous allez dites donc holà madame?

— Je vais descendre ici, répondit rapidement celle qui devenait déjà Man Elo et qui allait errer toute la nuit dans la ville la plus incroyable de ce côté du malheur des nègres.

Elle marcha droit pour donner l'impression d'aller quelque part. Fort-de-France ne lui était pas inconnue. Elle y était descendue souvent avec Fanotte et Félix Soleil. Mais cette ville autrefois aperçue entre ses parents lui semblait maintenant plus cruelle dans son air de négresse déguisée, bien loin de l'harmonie paisible des bourgs. Héloïse s'enfonçait dans des touffes de maisons contrariées par des rues très droites. La nuit décolorait les façades de bois aux persiennes empoussiérées par le vent de la jetée. Des peintures vives se dévoilaient parfois sous l'éclairage public, et Héloïse percevait comme une tristesse rampante. Les rues les plus larges étaient celles des

* Métis blanc-nègre.

37

Syriens, elles sentaient le carton mouillé et la toile sans soleil. Les autres, austères, étaient en général le territoire de tailleurs miteux coupant sans arrêt dans des sacs de farine. Dans sa divagation, Héloïse empruntait parfois des rues bordées de broussailles qui annonçaient au nord la forêt de la Trace. Elle y rencontrait des chats endormis sur des tôles basses et beaucoup de chiens errants. Car la nuit, Héloïse ne le savait pas encore, les chiens envahissaient la ville.

(*Le chant des chiens.* La nuit, les chiens prenaient possession des esplanades, des culs-de-sac, des dessous de voitures et des amas d'ordures ménagères. Ils erraient en bandes furieuses dans les avenues où les vents de la jetée soulevaient de légers débris. Après avoir écumé le pont Démosthène, ils descendaient l'avenue du Général-de-Gaulle, puis sillonnaient les Terres-Sainville. Ils finissaient par s'agglomérer sur la place Abbé-Grégoire et aboyaient contre l'église. Puis on les entendait s'élancer en un galop bruyant vers le cimetière Trabaut où, si la porte était restée ouverte, ils se poursuivaient entre les tombes des pauvres, renversant les bougies, les arums blancs et les petits quimbois-maléfiques qui troublaient la paix des caveaux. Ils ne respectaient rien. Leur délire voltigeait même les images de Marie la Sainte dans ses habits de lumière, ou celles, plus répandues encore, de saint Michel terrassant un vieux nègre, exposées aux quatre coins des sépultures sur des rameaux croisés. Quand les chiens butaient sur la porte close, ils se déchaînaient aux alentours, bondissant pour franchir les murs blanchis à la chaux. Vaincus, ils fonçaient vers le centre-ville où ils éparpillaient les poubelles des Syriens et attaquaient les noctambules. A l'aube, ils traversaient en file indienne le pont

Gueydon et s'installaient sur la rive droite du canal Levassor. Là, en petits groupes silencieux, ils bâillaient d'ennui, allongés entre les gommiers (bateaux) de pêcheurs. Malgré leur maigreur, ils étaient d'une vélocité qui déjouait les lassos des services d'hygiène de la municipalité. Rares étaient ceux qui possédaient encore leurs deux yeux. Pas un n'avait sa queue intacte. Animés d'une haine ancestrale*, nous ne perdions jamais l'occasion de jouer de la barre à mine, du coutelas, ou plus souvent d'une manœuvre d'automobile. C'est pourquoi le jour les rendait peureux, solitaires, insignifiants à ras des murs, tremblant sous les voitures, impatients de la nuit où ils redevenaient fauves, membres furieux d'une horde furieuse qui possédait la ville, poussant contre les persiennes closes ces aboiements vengeurs qui cauchemardaient les rêves les plus secrets. *C'était le chant des chiens.*)

Cette rage des chiens étonna Héloïse quand elle les vit pour la première fois à l'autre bout d'une rue. Elle put les esquiver. Les autres, croisés par la suite, étaient seuls, cela les rendait dociles. La nuit était bien avancée. Le bébé et le sac se faisaient lourds. Elle s'appuya au coin d'une porte qui s'entrebâilla en grinçant. N'écoutant que sa fatigue, elle s'installa sur les premières marches d'un escalier qui montait à l'étage, le bébé contre elle.

– Eh bien Jésus-Marie-Joseph, ma fille, qu'est-ce que tu fais là ?...

Héloïse, réveillée, découvrit une grande femme maigre, au visage sans sourire des veuves précoces. Il s'agissait d'une Madame Paville (future Odibert, notre

---

* Les chiens servaient à traquer les nègres en fuite, pendant l'esclavage.

commère) qui sortait pour la messe. La dévote amena l'infortunée chez elle, lui servit du lait et du pain rassis en écoutant ses malheurs.

– Repose ton corps, je vais arranger ça au retour, déclara-t-elle.

Au retour de la messe, elle l'accompagna dare-dare chez le « Syrien » propriétaire des appartements voisins. Celui-ci avait déjà ouvert son magasin et rangeait ses rouleaux de tergal infroissable, ses pantalons kaki beaux comme certains péchés.

– Alors la Syrie, comment ça va ce matin? dit Man Paville.

– Aaah Madame Paville, ça va, ça va je te dis, tu as fait une prière pour moi?

– Ah la Syrie, mais tout le monde prie déjà pour toi.

Ahmed les entraîna dans ses rayons, montrant les chemises brodées, les cravates de soie, les nappes de plastique, les tapis de velours aux scènes de chasse à courre, les gilets à goussets, les jupes d'organdi. Il avançait dans son capharnaüm d'étoffes, attentif à tout montrer. Il n'y avait pas le moindre grain de poussière sur ces tissus empilés jusqu'au plafond, qui donnaient l'impression de falaises incertaines. La Syrie était libanais. Il avait débarqué avec, pour seule richesse, une brouette et quelques tissus offerts par la communauté syro-libanaise déjà installée. En moins de six ans, il était devenu propriétaire d'un magasin, d'un appartement à la rue Blénac, et de ces petits logements de la rue François-Arago qu'il cherchait à louer. Après la revue de ses trésors, il entraîna Man Paville et Héloïse derrière l'amas de boîtes d'emballage où se trouvaient son bureau et la caisse. Il les fit asseoir et s'installa à son tour, yeux mi-clos, doigts joints, le buste penché dans cette attitude de saurien qu'il prenait pour discuter affaires.

– Alors Madame Paville, qui est-ce que tu m'amènes là?

– C'est Héloïse Soleil, une amie à moi qui vient d'arriver du Vert-Pré avec son iche (enfant), alors j'ai pensé que la Syrie pourrait lui laisser un de ses appartements...

– Mais bien sûr! Ils sont là pour ça! Mais quesse qu'elle fait la demoiselle?

– C'est que je viens d'arriver, Monsieur la Syrie, dit Héloïse, j'ai pas encore trouvé de travail mais ça va pas tarder...

– Bon ça fait rien, je te laisse l'appartement comme ça, mais il faudra que la petite dame vienne l'aprèsmidi faire un petit nettoyage par ici, d'accord?...

La Reine. C'est ainsi qu'Héloïse trouva à se loger dans Fort-de-France. Elle se meubla grâce à la gentillesse d'un menuisier, qui habitait juste en dessous. Le matin, elle vendait des sandwiches aux marchés, et nettoyait le magasin d'Ahmed en fin d'après-midi. Man Paville, sa voisine, vivait en compagnie de ses deux garçons, et de sa mère Manman-Doudou, vieille femme voûtée, dont la face chafouine n'avait pas une seule ride. Si la veuve, toujours sévère et très distante, s'intéressait peu à Héloïse, Manman-Doudou, par contre, ne perdait pas une occasion de visite. Elle venait s'asseoir avec les deux garçons, parlait de la vie et de la santé, et accablait Héloïse de conseils pour bien élever le bébé Pierre Philomène, futur roi de nous autres djobeurs.

– Mais qui est son père, han? lui demanda un jour Manman-Doudou.

Héloïse redoutait tant cette question qu'elle s'était

préparé une dizaine de réponses. Aucune ne parvint ce jour-là à ses lèvres : elle ne put que trembler et sangloter. Manman-Doudou crut comprendre flap! et déclara :

– Ah, il est mort, je connais cette douleur, je l'ai vécue pour moi-même et pour ma fille...

Et elle confia à Héloïse la clé de leurs solitudes...

A l'époque où elle était belle câpresse, Manman-Doudou avait un homme, un nommé Hector, mi-couli mi-nègre mi-chinois, propriétaire d'un beau gommier, le *Merci-au-Ciel*, qu'il pilotait lui-même pour vivre de la pêche. Démontée ou pas, lune bonne ou non, Hector remplissait toujours son bateau d'une rafale de poissons.

– Mais comment peut-on prendre tout seul autant de poissons, han?

La question torturait les marchés. Bientôt l'on parla de maléfices, de contrat avec le diable. On en dit tant et tant que, le *Merci-au-Ciel* disparu corps et biens un jour sans annonces, personne ne s'en étonna : les contrats diaboliques ont toujours une fin triste...

Hector disparu, Manman-Doudou se retrouva veuve avec sur les bras Elyette, fille du pêcheur mystérieux. Celle qui allait devenir Man Paville, puis Odibert marchande de poivre, vécut avec sa mère de manière relativement aisée. Manman-Doudou avait beaucoup économisé du temps des exploits de son homme. Le seul ennui fut que le voisinage détournait le regard en les rencontrant et se signait à leur passage, tant il est vrai que la femme et la fille d'un débiteur du diable ne pouvaient être que des personnes gagées. Il se forgea donc autour des deux femmes un silence où les gestes du quimbois-protecteur allaient bon train. Voulant prouver sa pureté, Manman-Doudou se rendit chaque jour à la messe avec sa fille. Elle offrit ses services pour entretenir bénévolement les hibiscus du presbytère et les statues de la cathédrale, qu'elle astiquait longuement avec des chiffons de laine. On la vit mieux que quiconque à la grand-messe annuelle, à la messe de midi, à la messe de minuit, à celle du Saint-Esprit comme à toutes les autres, investie d'une foi spectaculaire, un voile noir à grains d'argent posé sur les cheveux. Celle qui allait être Man Paville fut plongée sans rémission dans cette dévotion extrême. Elle apprit à marcher près de l'autel, dit ses premiers mots au-dessous du tabernacle, joua avec le calice et se nourrit d'hosties non consacrées chipées dans l'office. Elle étanchait ses soifs enfantines dans les bénitiers et apprit à lire dans un missel, en grattouillant un chapelet. A dix-sept ans, elle connaissait mieux que quiconque les Confiteor, les Sanctus, les Agnus Dei, les O salutaris, les Pater noster, les Credo, les Gloria. Experte en matière d'Evangiles, elle était aussi imbattable sur le déroulement des offertoires, des actions de grâces, des communions, des processions. Elle renseignait les jeunes prêtres, et avait fini par obtenir la responsabilité d'une classe de catéchisme. Si elle ne devint pas religieuse, c'est parce que le destin lui expédia juste à temps l'impardonnable calotte de l'amour.

La cathédrale s'était vidée peu après la messe de six heures et, dans le recueillement, se préparait pour celle de minuit (heure vitale où les prières montent au Père sans détours en chemin). Manman-Doudou et sa fille étaient restées comme d'habitude, afin de balayer entre les bancs. Les poussières à peine rassemblées, Manman-Doudou sentit une douleur à la porte de ses reins et alla s'étendre sur le banc de l'office. La vieille disparut donc derrière l'autel, laissant seule la future Man Paville, petite ombre affairée dans la pénombre du lieu saint. Un pas se fit alors entendre. Elyette vit d'abord une ombre, élancée, sac à l'épaule, bien dessinée par les derniers rayons du soleil provenant de la porte. L'inconnu, agenouillé, se signa maladroitement, et aperçut la jeune fille au moment où il allait se relever. Il se trouvait au point de convergence des lueurs du vitrail : cela décida de tout. Elyette découvrit un beau nègre, cheveux coupés à ras sur les tempes. Touffe bien brossée en haut du front à la manière des nègres anglais, il baignait dans une aura teintée où ses gestes prenaient une majesté lente, et où, surtout, ses yeux brillaient du feu de Dieu. Elyette crut voir un ange, ange curieusement nègre, mais pour une petite négresse comme moi, qu'est-ce que le bon Dieu aurait pu envoyer d'autre ?... C'est pourquoi elle tomba à la renverse, entre les bancs, terrassée par ce signe évident du Ciel. Elle se réveilla dans les bras de son ange qui lui disait : Mââme scusez-moi si je vous ai fait sauter, scusez-moi...

En revenant de son posé-reins, Manman-Doudou surprit le couple, agenouillé côte à côte, priant de concert la Vierge Marie. Elle les trouva si bien appareillés que, réjouie, elle lança spontanément : Mussieu quelles sont vos intentions, et parlez clair !... Le bonhomme en fut tellement surpris qu'il se déclara lamentablement. Elyette baissait la tête de confusion et de plaisir. L'ange s'appelait Théophile Paville, de la commune du Gros-Morne il était venu à Fort-de-France exercer ses talents de mécanicien. Un don du Ciel lui permettait de remettre sur pied n'importe quelle bécane, essieu forcé de tilbury ou de charrette. De plus, il avait rapidement percé les secrets des

44

nouvelles automobiles à moteur. Grâce à cela, il était parvenu à se faire embaucher dans un garage de la rue François-Arago, tenu par un petit couli en forme de ficelle, affable malgré une voix vulgaire.

Théophile Paville logea donc le premier chez Ahmed, dans un des petits appartements encore vides, fleurant le bois du Nord et la peinture à l'eau. Elyette et lui donnèrent la première vie à ce couloir sombre qui s'allongeait le long des portes closes. La maison à cette époque était belle. Ses planches de qualité étaient assemblées selon une méthode maintenant oubliée des jeunes menuisiers. Quelques logements donnaient sur la rue François-Arago, les autres sur l'étroite cour intérieure où se trouvaient les cuisines et les bassins. L'escalier, taillé dans le bois massif, avec une rampe délicatement courbée, ne grinçait pas encore, et l'unique fenêtre du couloir possédait encore ses battants. Sous les logements qui donnaient sur la rue, se trouvait le garage où travaillait Théophile Paville; occupant le rez-de-chaussée jusqu'à l'angle de la rue Lamartine, il laissait un espace étriqué, juste avant la porte d'entrée, à une menuiserie parfumée de résine, de vernis et de bois blessé, qui résonnait jusqu'à la nuit des rages de la scie et du rabot. Le trottoir en face appartenait aux Syriens : magasins de toiles envoûtantes, encore sans vitrines ni rideaux de fer. Plus loin, à l'angle, s'ouvrait l'épicerie d'une retraitée qui s'était découvert tardivement l'art de tout vendre par roquille, pinte, mice, demi-pinte et chopine. Le jeune couple débuta ses amours dans ce décor – ce qui n'a aucune importance.

Le premier bébé ne se fit pas attendre. Elyette l'appela Jean après avoir balancé entre Jésus et

45

Saint-Augustin. La dot d'Elyette était si belle que Théophile, la voyant envelopper les sous un par un pour les fourrer sous un matelas, lui conseilla de s'ouvrir une boutique...

– Mais une boutique de quoi? s'inquiéta Man Paville.

– De ce que tu veux, si ça se vend, répétait Théophile.

Ni Elyette ni Manman-Doudou n'avaient la moindre idée de ce qui pourrait se vendre dans une petite boutique. Le temps passa. Elyette donna naissance à un deuxième garçon. C'est vers cette époque que le destin, de la manière cruelle qui est la sienne, se chargea de lui souffler une idée de commerce.

Cela se passa un jour pareil aux autres. De retour de la messe, Man Paville nourrissait ses garçonnets au pain rassis trempé de lait, quand elle perçut une clameur inaccoutumée provenant de la rue. De la fenêtre, elle vit un attroupement devant la porte du garage où travaillait son mari. Inquiète, elle menaça ses fils d'être emportés par le diable s'ils s'écartaient de leur bols, et se précipita dans l'escalier, au bas duquel elle buta sur le garagiste en sueur, qui venait la chercher. Le couli avait l'air d'avoir reçu un coco sur la tête : Man Paville, viens vite, une déveine... Le cœur battant, Elyette pénétra à sa suite dans l'antre graisseuse et découvrit son mari allongé sous un énorme moteur qui lui défonçait la poitrine. Les deux aides, sans pouvoir le déplacer, le soutenaient de toutes leurs forces pour en réduire le poids. Théophile Paville mourut sans ouvrir les yeux, malgré les solides dockers accourus de la jetée, qui parvinrent à rejeter de côté le moteur meurtrier. La veillée se tint le soir même. Le patron du garage s'était occupé des forma-

46

lités administratives dans la journée. Man Paville, nouvelle veuve, révéla dans le malheur sa nature de matador. Sans une larme malgré la douleur qui la défigurait, elle baigna le cadavre de son époux, banda sa poitrine enfoncée, le revêtit des vêtements du dimanche, le coiffa, lui croisa les mains sur un crucifix, et parvint même, à force d'amour, à transformer la grimace du mort en un masque serein. Le cercueil fut payé par le garagiste qui s'estimait confusément coupable (l'établi était pourri, j'aurais dû le remplacer oh la la!...). Elyette prit alors conscience de tout ce qui entourait la mort, formidable commerce de faire-part, de draps mortuaires, de bougies, de tentures noires, de corbillards, de couronnes, de fleurs artificielles. Les services de l'abbé pour le De profundis. Le caveau et la gravure du cénotaphe. Les voiles noirs destinés à cacher les miroirs de la maison. Les petits chapeaux et les gaules de veuves qu'il fallut se procurer chez Amédée Balthazar, couturière célèbre dans ce domaine. Effectuant les achats dans une raideur amère, elle n'y pensa pas tout de suite. Ses économies s'y seraient épuisées si le garagiste, toujours culpabilisé, n'avait insisté pour payer lui-même la plupart des effets mortuaires. Le corbillard, suivi d'une foule, remonta la rue vers le cimetière Trabaut, sous une bonne charge de couronnes, de bouquets, de fleurs violettes et de cordons. Théophile, bien entendu, résista. Le corbillard patinait malgré le plein régime du moteur. Au cimetière, les quatre porteurs titubèrent sous la bière qui s'alourdissait à l'approche de la fosse. Cette dernière, d'ailleurs, demeura à moitié vide alors que l'on y avait reversé toute sa terre. Une petite pluie restitua aux parents et amis les larmes que Théophile versait sur son sort, quelque part.

Ce veuvage précoce replongea Man Paville dans la dévotion. Jamais mort n'eut autant de messes et de prières. Mais la jeune veuve ne perdit pas le sens des réalités, il fallait trouver moyen de nourrir les enfants. Munie du restant de ses économies et des pièces que le garagiste lui avait offertes dans une boîte de biscuits, elle loua un local à la rue Lamartine (pas loin de l'atelier d'Adeldade Nicéphore, un orfèvre triomphant). Quand Manman-Doudou, brisant son observation silencieuse, s'avisa de savoir ce qu'elle pensait y vendre, la jeune veuve répondit avec cette gravité qui devait désormais la caractériser : Je vais vendre des machins pour les enterrements...

Elle contacta le gérant du magasin qui pratiquait déjà ce commerce, lui acheta, pour l'amadouer, de nombreuses fleurs artificielles, des couronnes anonymes et des milliers de bougies. Elle obtint du même coup l'adresse où il se procurait les marchandises en gros, et y expédia une lettre de commande. Deux mois après, colis reçus, elle put ouvrir cette boutique d'effets mortuaires où elle devait engloutir la part de son existence exempte de messes et de prières. Manman-Doudou éleva les garçons, la mère n'intervenant que pour les conduire aux offices religieux et autres manifestations ferventes, et pour finalement en faire des enfants de chœur à la première occasion...

Manman-Doudou, qui n'avait aucune mémoire de ses paroles, rabâchait quotidiennement cette histoire à Héloïse. Cette dernière, attentive, en oubliait ses propres malheurs, sans savoir encore que la fatalité réservait à Man Paville un destin de marchande de poivre sous le nom d'Odibert. Héloïse n'échappait à la vieille que pour s'en aller découvrir le monde qui allait être le sien durant la plus longue des saisons de sa vie. Elle était déroutée, comme on l'est aux premiers regards, par le peuple des marchés où elle allait vendre ses sandwiches. Il faut dire que la municipalité n'avait pas encore tracé les choses à l'équerre : viandes, poissons et légumes se vendaient ensemble, au gré du petit bonheur, en bordure du canal Levassor, ou sur des esplanades où s'étaient mystérieusement cristallisées les paysannes. Tout le reste, et nous-mêmes djobeurs, se greffait autour d'elles dans une ambiance de panier à crabes, un apparent désordre. Il n'y avait pas encore d'établis, les légumes s'exposaient par terre, sur des mouchoirs de madras ou sur des nappes cirées. Les poissons demeuraient en paniers. Découpée, la viande se disposait sur tonneaux et planches que les enfants éventaient pour en chasser les mouches. Les Syriens qui n'avaient pas encore de magasin roulaient parmi nous des charrettes de broderies, de grosses dentelles, de pièces de laine ou de coton. Là, on venait s'acheter le manger du jour, mais, surtout, s'aiguiser la langue sur disputes et paroles inutiles, rechercher le parent-ami-aimé perdu de vue au détour d'un destin, annoncer les naissances et les morts, dissiper la langueur d'une solitude, et, final, présenter ses maladies aux marchandes d'herbes-médecine et de graines-à-pouvoir. Perdue dans les hurlements, Héloïse se crut longtemps plongée dans une émeute. Elle n'en percevrait que bien plus tard l'imperceptible agencement.

Comme elle fréquentait régulièrement l'esplanade du futur grand marché aux légumes, une corbeille de sandwiches à la hanche, un garçonnet en pleurs sur une épaule, elle finit par obtenir l'emplacement d'une de ces cuisinières qui assuraient le repas des marchandes. Dès lors, elle triompha par l'excellence de ses beignets que les nègres nomment marinades, de son touffé-requin, et, surtout, sainte Madone de la Jossaud, de son macadam que tout le monde s'arrachait. C'était un manger de riz à sauce jaune et de morue mijotée aux piments verts. Il fallait goûter cela yeux mi-clos en véranda, et se laisser vaincre par les bouchées très lentes, oh la la...

Aux débuts d'Héloïse, nous, djobeurs, étions déjà là, vivaces mais dispersés, anonymes et sans clans. On l'appelait encore Héloïse par-ci, Héloïse par-là, ce n'est qu'avec l'âge et les premières rides que, le respect venant, on la dit Man Elo. Elle avait à cette époque le regard en perpétuel mouvement des merles craignant l'orage. Nous la pressentions poursuivie par quelque chose mais, loin d'imaginer un dorlis, nous soupçonnions cette vieille calamité qui, par ici, remplaçait l'ange gardien. Son garçon fréquentait l'école et la rejoignait à midi. Il mangeait avec nous, écoutant les paroles avec sourires et gentillesse. L'enfant était calme, avec des gestes ronds, nous le baptisâmes Piphi, du Pi de Pierre et du Phi de Philomène, puis tout bonnement Pipi car se surnom amusait mieux le négrillon. Man Elo en était irritée : Je te dis qu'il s'appelle Pierre Philomène !... La Reine parlait peu mais chantait toujours de manière inaudible dans la vapeur de ses casseroles. Pipi grandit très vite et abandonna l'école pour déambuler à travers les marchés, s'initiant à leurs subtils équilibres. Malgré l'excitation tout y fonctionnait au petit quart de poil. Notre futur roi apprit que le panier caraïbe était affaire de femmes : l'homme à deux graines ne vend pas. Les femmes savent mieux marchander, doser les produits, et résister aux marchandages. Ce sont donc elles qui relient les usines, les entrepôts, les campagnes et les bordures de mer, au centre de la ville. Il sut que dans le bouillonnement des étals existaient des présences immuables : celles des *marchandes de douceurs et de graines* (café, gros sel, manioc, z'épices, légumes secs, pains de sucre, chocolat gros-cacao...), des *marchandes-sorcières* (herbes-à-tous-maux, et l'et cætera...) et des *marchandes-trafiquantes*. Ces dernières exposaient un étonnant fouillis de restes d'usines, de rebut d'entrepôts (moussache, chandelles, bougies, vinaigre, charbon, suif et margarine, chaux, vernis, cirage, bouteilles, cordes, poteries, balais, râpes, tafia cœur-de-chauffe, huile, sirop de batterie, clous et fils de fer et tout ce que tu veux tu le demandes à moi...). Venaient alors les présences mobiles : vers onze heures de chaque jour apparaissaient les *marchandes-poissons* que les pêcheurs de retour venaient d'approvisionner, puis, au rythme des saisons, les *marchandes de fruits et légumes*, grandes maîtresses de la vente. Le garçon apprit à déceler comment les produits de même nature se regroupaient discrètement, permettant ainsi aux marchandes d'ajuster leurs prix et, pour que les clients s'illusionnent toujours d'une réussite, d'entrer en marchandages avec la même souplesse. Au bout de ses tournées, il regagnait l'espace où chacun allait se nourrir. Les cuisinières y déployaient sur des braises leurs casseroles odorantes, louchant sur celles de Man Elo où mijotait le royal macadam.

C'est Pipi le premier qui découvrit Elmire, une pacotilleuse dont la vie s'était avancée de voyages en voyages. Dans ses paniers, l'ancienne voyageuse exposait alors des pacotilles du monde. A propos de chaque objet, aux sollicitations de l'enfant, Elmire pouvait parler durant des heures, évoquant des terres, des peuples et des ciels inconnus. Comme Pipi, aux heures où les clients se raréfiaient et que les marchandes se posaient les reins, nous abandonnions nos brouettes pour nous agglutiner autour d'elle. Eh bien, c'est à une heure comme celle-là oui (ô Seigneur, prends pitié!...) que le dorlis apparut à l'entrée du marché, en plein jour, là comme ça au soleil, effrayant d'abord Man Elo qui le vit avant nous!... La Reine renversa le riz qu'elle lavait et s'écroula blip! au pied de son réchaud, tandis que l'engagé s'avançait tranquillement. QUELLE ÉPOUVANTE, JÉSUS-MARIE-JOSEPH!... Voir un dorlis en plein jour n'était pas chose courante, de plus celui-là, Anatole-Anatole, fils de cadavres, était selon la rumeur l'un des plus redoutables. Les marchandes se signaient. Les quelques clients levèrent le pied. Nous, bouches ouvertes et glacés, nous nous serrions autour d'Elmire. Un silence de mauvaise qualité recouvrait le marché. Le dorlis longea l'établi des cuisinières et atteignit le corps évanoui de Man Elo. A ce moment, Pipi nous écarta et, d'un pas sans tremblade, alla placer son corps d'enfant entre le monstre et sa mère. Le dorlis plongea son regard dans celui du négrillon. Ô nous imaginions une horrible jonction : ce rougeoiement de pupilles dans ces yeux innocents. Pourtant Pipi nous conta plus tard avoir seulement fixé une mer de détresse, une vivante souffrance.

– Avance pitite, et embrasse ton papa, implora le dorlis.

Le garçon n'hésita pas une seconde. L'absence de père avait sans doute toujours vrillé sa chair. De plus, quand le sang rencontre le sang, il n'y a plus de barrières. Avec une émotion qu'on eût dite sanglotante, Anatole-Anatole embrassa son fils durant plusieurs secondes, ou beaucoup moins, comment savoir? La chair agitée obscurcit l'attention. Le dorlis, semble-t-il, parla longuement à l'oreille de Pipi qui écoutait les yeux fermés. Avant de repartir, il lui dit à haute voix :

– Tu sauras parler à la jarre, mais la Belle te mangera...

Nul ne savait à l'époque qu'il résumait ainsi le destin de Pipi, ni que jamais personne, même pas Man Elo, ne reverrait en plein jour sa hideuse silhouette. Quand la reine du macadam se réveilla, elle se sentit confusément soulagée. Elle perdit son regard de merle affolé, tandis que, hélas, Pipi, éjecté de l'enfance, entamait sa dérade.

Etre fils de dorlis? Nous dirions non-merci-beaucoup à la proposition. Pipi, lui, en avait mûri malement et dissipait ses journées à tourner-virer entre les paniers, ou à s'affaler dans nos brouettes. Tout le monde, éviteux du piment sur bobo, était entré en discrétion à propos de cette affaire, et si nous en parlons aujourd'hui, c'est que, depuis, le temps a posé par-dessus ce couvercle frais qui apaise les vapeurs. Man Elo allait mieux, et l'on aurait pu croire son fils sans grand souci, mais pour qui savait voir, Pipi s'enfermait chaque jour un peu plus dans une sorte de tournis fixe qui l'éloignait de nous, de la vie, et, impossible véridique, de lui-même (ô misère sous-marine).

ROBERT ET GUERRE

Vers cette époque, il y eut un embarras d'Allemands qui attaquaient les gens dans les pays aux

53

quatre saisons. Bien que nous n'ayons aucune famille par là, un Pétain Maréchal nous expédia ici-dans un Amiral nommé Robert*, accompagné de Sénégalais et d'autres qualités de soldats. Son but, disait la Parole, était de mettre le pays dans un œuf afin de pouvoir l'étouffer ou le couver à sa guise, hors des Américains. Les journaux et la radio se mirent à encenser régulièrement ce Maréchal Pétain, dieu vivant sur la terre, nous voilà, nous voilà, ô Papa de nous tous, auquel il fallait obéir. On parlait aussi, tout partout, dans *La Quinzaine impériale, Le Clairon, La Petite-Prairie*, les kermesses de scouts, les fêtes mutualistes, les chants ou les poèmes, d'une espèce de vakabon san foi ni loi, nommé de Gaulle, capable d'envoûtement par la seule entremise d'une émission radiophonique anglaise que des fous écoutaient secrètement, un soleil dans les yeux. Alors que nous n'avions rien misé dans l'histoire, l'Amiral Robert mit le pays sous coquille, et les Américains le couvèrent d'un blocus. Les soldats se mirent à tout réquisitionner. Manger en ville exigeait la débrouillardise du compère lapin des contes du soir. Le monde de Fort-de-France s'était trouvé un bout de famille à la campagne où les services officiels encourageaient les productions. Il n'était plus indigne de fréquenter des cousins-bitakos, des filleuls de raziés, ou des tantes de savanes. On partait tôt rendre des visites familiales, un grand sac à l'épaule. Nous y allions à pied ou en voitures modifiées pour rouler à l'alcool. C'est vers cette époque que les chiens errants et les chats domestiques se raréfièrent, tandis que l'on vendait à prix d'or

* Les djobeurs évoquent là Georges Robert, amiral, haut-commissaire aux Antilles françaises (1939) durant la Seconde Guerre mondiale.

sur les marchés des lapins mystérieux dans des sacs hermétiques. Les démunis de parenté campagnarde, ou ceux qui ne pouvaient acquérir les trésors clairsemés des marchés, vouaient désormais un culte intempestif aux marins-pêcheurs du quartier Rive-Droite. Les Sénégalais de l'Amiral, amateurs de poissons frais, leur procuraient suffisamment d'explosifs pour souffler des bancs entiers de bonites bleues. La part des soldats remise, les pêcheurs régnaient alors sur un peuple d'affamés qui rampaient pour un troc entre du poisson et de l'huile de coco. Nous, djobeurs, aux brouettes désormais inutiles, avions dé-garé une intelligence pour déjouer la famine que n'écartaient plus nos djobs insuffisants : nous obtenions notre nourriture avec du vin d'oranges, des sandales taillées dans le caoutchouc des pneus soustraits à la réquisition militaire, et bien d'autres inventions que notre esprit de maintenant ne peut même plus élucider.

Pendant que nous étions en lutte avec cette vie, Pipi, qui errait en lui-même, fit la connaissance d'un albinos nommé Gogo, docteur en astiquage pour toutes qualités de véhicules, expert dans l'art d'illuminer les meubles d'acajou, les casseroles d'aluminium, l'argenterie et certains dentiers. Une brosse, un seau de plastique, une série de torchons spécialisés et une pâte mystérieuse de son cru étaient le matériel de ses prestations réputées impeccables jusqu'aux confins du quartier Balata. L'albinos décela un tel vide sous les paupières de l'adolescent qu'il voulut là même lui fournir une raison de vivre en l'associant à sa toute nouvelle activité : la « passe ». Dès que Robert avait commencé son œuf autour de nous, la dissidence était née. Aiguillonnés par les appels de Papa-de-Gaulle (un 24 du mois de juin, il s'adressa à nous, à nous oui! à nous directement...), des dizaines de bougres s'élançaient vers la France libre sur des yoles (bateaux) hasardeuses, se faufilant entre les bancs de sable et les cuirassés de l'Amiral, pour affronter en masse le canal de la Dominique et les Allemands sur l'autre bord. La passe était assurée par quelques pêcheurs de Rive-Droite, de Case-Pilote, de Case-Navire, et permettait aux patriotes du centre de gagner les îles anglaises moyennant sel, viande, légumes ou bonne la-monnaie. Gogo était l'un des rares à effectuer ces passes sans être lui-même marin-pêcheur. La mer n'ayant point de secrets pour lui, il s'était simplement fait prêter un rafiot. Indifférent, Pipi accepta de le seconder dans cette activité média-trice de la dissidence vers de Gaulle. Il n'adressait même pas la parole à Gogo, et remettait à sa mère tout ce qu'il gagnait sans un mot sur leurs exploits entre les cuirassés. Le seul être qui, durant cette période, put entamer quelque peu la carapace mortuaire de Pipi, fut la concubine de Gogo, une dénommée Clarine, femme énorme au regard angélique qui débarquait tout juste de sa campagne natale. Auprès d'elle, Pipi retrouvait la parole ordinaire à propos de la pluie, la chaleur, l'appétit des moustiques. Il n'était pas encore dit, même si le destin l'avait déjà écrit, que Clarine se ferait mère oublieuse d'un enfant pour épouser un beau mulâtre.

Gogo consacrait ses nuits à la dissidence, et ses jours à reculer les frontières de l'astiquage chez les gros de Fort-de-France. Clarine, apeurée par la ville, n'osait quitter la chambre malgré l'insistance de son albinos. Quand ils prirent l'habitude, à l'aube, de passer de longues heures à partager les gains nocturnes, Gogo demanda à l'adolescent, en manière de service, d'accompagner Clarine dans les rues de la ville : Moi j'ai pas le temps, mais fais-le, faut qu'elle voie qu'on ne mange pas les gens ici-là, tout de même... Ils s'habituèrent donc, ensemble, à de longues promenades dans les rues défoncées de la ville, longeant les canaux découverts où s'abreuvaient les libellules. Réfractaire aux peintures, le bois du Nord des façades les dispersait en écailles. Des pluies brèves, rapidement dissoutes, propageaient une âcreté de tristesse bouillie. Clarine, aux côtés de Pipi, se prit à aimer balancer dans l'animation urbaine sa silhouette de bon gorille. Dans une case fraîche de sa tête surgissaient quelquefois de curieux souvenirs. Elle les racontait si souvent à Pipi que ce dernier put bientôt les ordonner et lui réciter la première longueur de sa vie...

(*Dit de Pipi sur la vie de Clarine, future mère oublieuse.* Tu es née au Lamentin, dans le quartier Jeanne-d'Arc, entre la statue guerrière, les cannes, les bœufs et les mangots. Emma, ta mère, t'éleva seule. Le bougre géniteur du colis de neuf mois battait la vie sans elle, loin comme un horizon. Malgré la défection de cet amour, Emma s'occupa sans délai de cette fille qui lui arriva en pleine nuit, bleuie par le cordon ombilical en nœud coulant autour de son cou. L'arrachant elle-même de ses entrailles, elle la délivra et coupa le cordon. Dans le silence et la solitude de sa case, elle veilla cet éléphanteau dont la corpulence (santé, oui !) devait provoquer l'admiration du voisinage. Elle l'appela Clarine. L'enfant grandit au soleil, langée de haillons posés en évidence sur des rochers, à quelques mètres d'Emma en lutte avec la canne à sucre des champs. A l'âge où Clarine s'en allait gazouiller dans les herbes-cabouyas infestées de

Bêtes-longues, Emma la confia à un chabin-foubin qui, une nuit d'orage, avait rencontré une femme-matador, d'une beauté impossible. La créature, dernier amour de sa vie, lui avait décoché, avant de s'envoler dans un tourbillon d'hibiscus, ce sourire diabolique, cause certaine d'une manière de trou dans son cerveau. Le chabin-foubin restait assis près de sa fenêtre, sursautant aux bruits des feuillages, ou pleurant l'attente vaine d'un tourbillon d'hibiscus. Pour subsister, il s'occupait des enfants des cases environnantes. Il fut ainsi amené à garder Clarine, fille d'Emma, jusqu'à ce qu'elle eût neuf ans. Emma lui ramenait en échange des ignames portugaises, deux ou trois patates douces, du sirop de batterie ou un tafia dévastateur. Comme tous les autres enfants, Clarine ne pleurait jamais avec le chabin-foubin. Au moindre rechignement, ce dernier lui posait une main sur la tête et, du coup, l'enfant plongeait dans un ralenti cotonneux où elle jouait avec ses doigts et ses orteils sans plus rien réclamer. L'étrange pouvoir du vieil amoureux enleva Clarine aux réalités de notre terre et aux faiblesses du corps, la plaçant dans un état angélique tel qu'à six ans elle ignorait encore la parole et qu'elle garda toute sa vie une douceur magique dans les yeux. La suite n'arrangea nullement les choses. A l'âge où les marmailles vont à l'école, Emma l'estima plus utile à la garde des bœufs d'un Misié Pierre, mulâtre poussiéreux, enseignant la musique au séminaire-collège, qui à ses heures perdues – pou si anka – se montait un petit cheptel bovin dans les savanes lamentinoises. Cela ramenait à Emma quatre sous par mois.

Après l'état quasi cataleptique où l'avait plongée le chabin-foubin, Clarine se trouva dans une situation

58

non moins anesthésiante : la compagnie de cinq vaches placides dans une savane d'herbes coupantes. Quand une envie de chanter la prenait, la langue de Clarine ne pouvait qu'imiter le beuglement des animaux dont elle avait la garde. La malheureuse serait restée muette toute sa vie, sans le coup de main du destin qui, à l'heure où les vaches s'abreuvaient dans un trou d'eau blanchie par le soleil, lui envoya cet être extraordinaire : Alphonse Antoinette – musicien très connu du quartier, virtuose de la clarinette, grand maître de la biguine, major de la mazouk, mètpiès du boléro-cha-cha, pape du vidé de carnaval en demi-ton, coq du méringué, autorité vivante en matière de calypso. Il exerçait ses talents dans l'orchestre qui chaque année assurait l'ambiance de la kermesse pascale du presbytère. Lorsque son travail de rempailleur de chaises lui en laissait le loisir, Alphonse Antoinette se réfugiait dans les savanes désertes. Il y taquinait une inspiration, non seulement capable de faire pleurer la clarinette mais – ô maestro! – de lui faire atteindre cette vibration de fin de monde, vers laquelle planaient les colibris et s'envolaient les fleurs. Clarine le vit avancer ainsi, clarinette à la lèvre, auréolé de fleurs multicolores et de colibris hypnotisés. Elle crut apercevoir un diable et prit-courir se serrer sous le ventre d'une vache. Amusé, Alphonse Antoinette mit ses dents à l'embellie – éclat ténu, mais qui brisa le charme, libéra les colibris et fit chuter les fleurs, fanées à tout jamais.

– Hébin, pourquoi tu as eu peur comme ça, ma fi?
L'adolescente leva sur le musicien la douceur infinie de ses yeux. Flap! ce dernier ressentit ce vertige irrémédiable qui devait briser sa carrière, et tomba raide dans la mare. Clarine l'en sortit, et ils ne

cessèrent plus de se voir dans cette savane, entre ces bovidés et cette mare à l'agonie. Quand cette dernière fut réduite à un œil humide cerclé de terre roussie, Alphonse Antoinette avait déjà enseigné à l'adolescente la lecture, l'écriture, le mécanisme de la parole, et, bien entendu, la manière de concevoir les enfants. L'équilibre mental d'Emma chancela quand le ventre de sa fille forma une bulle si parfaitement ronde qu'on l'eût dite prête à s'envoler. Comme beaucoup d'entre nous, Alphonse Antoinette fut saisi de panique à l'annonce de sa paternité. Il s'enfuit en zigzag vers la Dominique. Il y creva de faim, mendiant du pain aux chiens dans un port lugubre où s'échouaient chaque jour des milliers de méduses : un vertige angélique l'empêchait de vivre de sa clarinette, et même de rempailler les chaises. L'exil, la misère, la perte de son don, le dérèglement de sa vie, cet enfant qui grossissait dans le ventre de Clarine et, surtout, ce vertige qui l'obligeait à créer intérieurement des cercles de plus en plus serrés le rapetissèrent tant qu'un jour de senne oui, un pêcheur découvrit son cadavre dans une conque abandonnée. Il s'en échappa au même moment une vibration cosmique qui hypnotisa à vie – apa kouyonnad – deux mille trois cent dix-sept colibris.

Emma emmena Clarine chez Joubaré le séancier (guérisseur) car, Jésus-Marie, on ne fait pas des bébés à dix-sept ans. Pour chasser l'enfant indésirable, Joubaré épuisa ses réserves d'huile de rose, d'huile des sept dons, d'huile de Jérusalem et d'huile du Saint-Esprit. Il gaspilla une patte de poule noire tuée un vendredi, un pétale de fleur de bambou, trois feuilles de raifort, trois fleurs de papaye mâle, un paquet béni de racines de vétiver, deux chopines de lait, quatre têtes de serpents, et un bouquet méchant des plantes abortives les plus secrètes. Mais le germe s'accrocha en diable sourd aux entrailles de Clarine. Joubaré, alors pris de langueur, s'allongea dans son officine et y passa quatre jours à méditer. Emma et sa fille attendirent sous pluies et soleils devant la case. A l'aube du cinquième jour, à l'heure où Joubaré se relevait dans l'intention de confier le problème à Belzébuth en personne, Clarine perçut au fond d'elle-même cette vibration familière qui, par sa ténuité, lui restitua clairement le dernier souffle d'Alphonse Antoinette. Pleine de douleur, elle s'accroupit derrière un arbre pour demander gentiment à l'enfant inachevé de sortir parce que papa n'est plus là... L'œuf obéit sans tressaillir. Alors, elle se releva et, malgré les lamentations de sa mère, partit droit devant elle. Emma, qu'un prochain cyclone devait emporter avec le toit de sa case, ne la revit jamais (adieu Emma ma chère, ta tombe, sais-tu? est au sanctuaire des vents – mi désarmement, mi).

Marchant, marchant, marchant, Clarine parvint bientôt en vue de Fort-de-France. Elle dépassa la sucrerie Dillon coiffée d'une natte de fumée noire, puis traversa le Morne-Pichevin déjà gommé par la nuit que les lampes à pétrole étoilaient misérablement. Après les Terres-Sainville, elle s'adossa, épuisée, aux murs blanchis à la chaux du cimetière des riches. Derrière elle se dressaient les sépulcres de luxe, croix argentées, marbre de Boulogne, impériales grilles de fer forgé. L'ensemble donnait un palais incompréhensible, bric-à-brac de défis à la mort et de regrets calligraphiés. Clarine traversa la Croix-Mission où les noctambules la prirent pour un zombi et l'accablèrent de jurons pour la renvoyer dans sa tombe. Prenant-courir dans la rue François-Arago, elle vira à droite sans raison, et passa le pont Gueydon vers la rive droite du canal Levassor. Elle s'y reposa quelques minutes dans une yole de pêcheurs avant une attaque de chiens errants. Encerclée par une vingtaine de ces fauves, Clarine crut toucher le bout de sa vie. Gogo l'albinos était alors arrivé. Cette nuit-là, il avait vidé son pot de chambre dans le canal, et contemplait l'habituelle bagarre des crabes sémafot autour de l'aubaine, quand les jappements l'avaient alerté. Il mit en déroute les fauves en les regardant, la tête en bas, coincée entre ses jambes, puis te ramena dans sa case d'une pièce où il te donna le gîte sans contrepartie, est-ce que j'ai menti? *C'était le dit.*)

Au cours d'une de ces promenades durant lesquelles Pipi lui racontait sa vie, Clarine tressaillit comme un merle à l'envol, opéra un demi-tour brutal qui stupéfia les passants et s'élança d'un pas lourd vers la réalité. Son corps taillé pour une lutte permanente venait d'expulser les états d'âme. A partir de ce jour, elle déploya une énergie sans faille dans des transports de charbon avant l'aube, des nettoyages de magasins, des charrois d'ordures. Vers octobre, on la voyait dans le cimetière des riches, nettoyant les pétales poussiéreux des fleurs artificielles, en prévision des hommages de la Toussaint. Le soir, triomphante, porteuse d'une viande de marché noir, elle retrouvait Gogo.

– Vié chabin, épi mwen Obê pé jan tué'w! lui répétait-elle. (Vieux chabin, avec moi Robert ne te tuera jamais!)

Une fois, Gogo l'embrassa pour l'accueillir. Ses yeux rouges d'albinos portaient un tas de fruits comme les manguiers en bonne saison. Clarine frissonna sous sa tendresse et, quand à minuit il rampa vers sa paillasse, elle encercla silencieusement son corps de bambou maigre et hurla sous l'astiquage savant du docteur, sans savoir que ce plaisir édifiait là son futur destin de mère oublieuse. Et, pour dire comme la vie est méchante, ce fut l'unique fois où il rampa vers elle...

Gogo l'albinos était un homme avisé : il s'était fait construire un cadre à double face, la première portant une des nombreuses photos du Maréchal, l'autre un dessin représentant un de Gaulle unanimement reconnu car nul ne le connaissait. Ainsi, selon le visiteur du moment, trônait, bien en vue sur la commode aux côtés d'un Jésus crucifié, le Maréchal ou le Général. Gogo, incapable de la moindre distinction, les traitait intérieurement de vié blan fwans inm pwel (vieux Français à même poil)... Cette méthode l'avait crédité d'une réputation de gaulliste ou de pétainiste auprès des gens utiles et là où c'était rentable. Les clients, dissidents, venaient de tous les quartiers de la ville. Furtifs comme des rats de minuit, ils frappaient à la porte de Gogo. Ce dernier en recrutait aussi lui-même autour des postes de T.S.F. de la rue Blénac, à l'heure des écoutes clandestines auxquelles sa réputation de gaulliste lui donnait accès. Là, il ferrait l'excité, l'enflammé subit par la flamme patriotique, et lui suggérait un destin d'armes glorieux.

Au début, Gogo et Pipi effectuaient en général deux passes par semaine. Gogo dirigeait la yole avec un instinct sûr entre les faisceaux lumineux des navires pétainistes. Mais vint une époque durant laquelle leurs passes se raréfièrent. Les patriotes désertaient les rangs : les Allemands, disait-on, tuaient les gens tout bonnement sans chercher à comprendre. Quant à Robert, il devenait féroce. A force d'être trompés, ses marins avaient acquis une sagesse difficile à saisir en z'attrape. Les arrestations étaient nombreuses. Des postes de T.S.F., pourtant dits invisibles aux regards des vieux-blancs, furent saisis. Des passeurs furent emprisonnés avec la tête rasée – certains autres doivent au jour d'aujourd'hui hanter les plaines sous-marines dans le troupeau des âmes noyées. Ce n'était plus aussi facile à Gogo de se faufiler entre les cuirassés : des rafales se déchaînaient au moindre clapotis. Alors, comme l'albinos n'était pas de ces maîtres-pièces de cinéma des séances de quatre heures, il fit à son mortuaire coéquipier une proposition :

– Alors tu comprends, si ça continue, ces bougres-là vont nous tuer, et comme on n'est pas des couillons je vois pas pourquoi on va continuer à risquer notre peau pour emmener des fous sauver de Gaulle… !

– Tu ne veux plus faire la passe ?

Gogo avait secoué la tête et roulé ses yeux roses.

– Non, c'est pas ça Pipi… écoute… les dissidents nous payent avant de monter, ils ont dit adieu à tout le monde et de toutes les façons les Allemands vont les tuer là où ils vont, alors pourquoi ne pas les balancer au large avec un coup sur la tête et revenir tranquillement dans notre cabane ?

Ainsi, beaucoup d'ardents patriotes ne rendirent aucun service à l'ami de Gaulle. Un coup de rame bien placé les envoya par dizaines sauver une autre France, celle des gouffres amers et des abysses sombres. La petite industrie des deux compères se déroula sans accrocs pendant une charge de temps. Mais vint la passe où ils tombèrent sur un modèle de qualité de monstre. Le bonhomme était tellement vidjok* (conséquence des biberons de toloman et des vitamines du fruit-à-pain, oui) que la rame se brisa sur sa tête comme sur du courbaril et n'eut pour seul effet que de lui faire tâter son crâne sanglant du petit doigt, dans une lente surprise. Ababa, Gogo porteur du coup vit le colosse en tirer une vigueur inattendue, lui arracher le restant de la rame pour la briser comme une bûchette, le saisir au collet et lui défoncer le crâne avant de livrer son cadavre aux vagues impatientes. Pipi ne dut la vie sauve qu'à un plongeon rapide dans le courant qui l'emporta. Fou de perdre sa cervelle par un trou de sa tête, le monstrueux dissident s'acharna sur l'embarcation, arrachant clous, mastics, planches, en une bataille perdue d'avance contre la mer qui l'assaillait.

Au retour d'une journée de djobs, Clarine trouva la case vide comme elle l'avait laissée avant l'aube. Gogo, parti depuis la nuit dernière, aurait dû être là, endormi. Elle eut alors la brutale certitude de la mort de son bienfaiteur et s'assit sur la paillasse. Cherchant des larmes, elle soupirait des Ay ay ay mon dié... C'est ainsi que la trouva Pipi, le lendemain à l'aube. Trempé comme un premier décembre, il titubait d'avoir tant nagé pour distancer la noyade. Il expliqua qu'un projecteur s'était collé à Gogo et lui, malgré les virées-dévirées de leur yole, et qu'une rafale avait si bien défoncé l'embarcation qu'elle les avait quittés en petits morceaux sur les vagues de

* Vigoureux.

passage. Gogo, lui, et un autre patriote, s'étaient retrouvés au milieu des courants.

– Mêsi bondié, j'ai pu trouver un bout de planche, et puis me pendre dessus comme ça, toute la nuit je te dis... quand le soleil est revenu j'ai nagé vers la terre...

La disparition de Gogo, comme devaient le faire toutes les catastrophes ultérieures, décupla l'énergie de Clarine. Elle nettoya la petite caye de fond en comble, récurant les ciments, décapant les vieilles planches, dévalant plusieurs fois les marches pour chercher de l'eau à la fontaine, s'abîmant dans une activité sans bornes où les douloureux souvenirs d'Alphonse Antoinette et de Gogo ne l'atteignaient pas. Quand la petite caye ne suffit plus à canaliser sa formidable énergie, elle se replongea dans ses djobs, louant pour pas cher sa force aux Syriens et aux commerçants de la jetée, qui appréciaient son aptitude à soulever les gros sacs. Elle s'enfonça ainsi dans une curieuse solitude, définitivement indifférente à tout. Le soir, elle cuisinait pour elle, éclairée par la lampe à l'huile de coco. Les lueurs rouges enveloppaient la case d'une atmosphère infernale que complétaient le crépitement des poissons cuits dans l'huile, le craquement du charbon et ses gerbes d'étincelles, ou le glouglou des soupes grasses qui embuaient les cloisons. Ce retrait culinaire lui permit d'acquérir une science des épices, des sauces, des bouillons et des daubes, de ces mélanges pimentés qui ravissent le goût.

Attablée devant un blaff de poissons rouges, Clarine vit entrer Pipi. Les yeux pleins de la brume qui, au Morne-Rouge, entoure les bambous solitaires, elle ne reconnut pas tout de suite le fils du dorlis. Celui-ci s'en lamenta :

– Quoi, quoi, quoi ma chère, mais quoi donc? Il y a tellement de vent que ça dans ton cœur, pour que les amis s'y effacent comme ça, ho?

Pipi, qui ne l'avait pas vue depuis longtemps, lui amenait un morceau de viande dissimulé dans une feuille de banane, et deux sachets de farine-manioc.

– Je t'avais apporté de bonnes choses, mais je vois que tu as déjà tout ce qui te faut pour vivre ton corps... Ma chère, écoute, écoute-moi... Gogo est mort, on sait ça maintenant... Si on n'a pas retrouvé son corps c'est parce que le canal ne rend jamais à personne ce qu'il attrape... hein? Bon... moi, je ne t'oublie pas. Alors demain, au lieu d'aller te casser les reins chez les Syriens, tu iras au marché...

– Sa anké fè bô maché? (Que vais-je y faire?)

– Tu vas vendre de la canne... Elmire la voyageuse connaît une vieille dame du Lamentin qui a de la canne à sucre derrière sa case, et qui cherche à la vendre...

C'est ainsi que Clarine se retrouva sur les esplanades des marchés, devant des touffes de cannes à sucre, tendres comme coton, et douces, douces oui.

Le marché n'avait plus cette vibration intense, signe de bonne santé de la ville. Il abritait un agglomérat de personnes brocantant leurs famines. En échange de sa canne, Clarine récoltait du sel, de l'huile, du charbon, du beurre et, parfois même, quelque sou inquiet. Pipi lui portait chaque soir la canne à domicile, et repartait après le partage des acquis. C'est lors d'un tri de partage qu'il remarqua l'enflure inhabituelle du ventre de Clarine, déjà naturellement bien rond.

– Hébin bondié, ma fi, esse que des fois Gogo ne t'aurait pas laissé un colis en chantier?

Clarine prit enfin conscience de l'enfant qui grandissait en elle. Comme envers tout un pan du monde, elle était restée indifférente à sa grossesse. La reconnaissance de son état provoquée par le jeune homme n'éveilla pas d'instinct maternel, ancestral et frémissant, même si ses yeux se remplirent d'une douceur vertigineuse au vu de laquelle Pipi vacilla :

– Bouge pas, bouge pas... je vais chercher une dame qui connaît bien ces machins-là...

Il revint flanqué d'une câpresse, ronde comme une marinade, qui palpa Clarine avec des gestes d'expérience et dit : C'est pour bientôt...

L'enfant naquit sans difficulté. La câpresse n'intervint que pour trancher son cordon et l'enterrer sous un arbre qui, final, devait bien être celui de la déveine. Le jour même, Clarine le plaqua contre son épaule, et partit pour le marché, sa touffe de cannes en équilibre sur un mouchoir de tête, son tabouret dans l'autre main. Elle s'assit dans son coin habituel au moment où la première goutte de soleil dispersait les chiens nocturnes. L'enfant grandit, abreuvé du lait de force d'une grosse mamelle, bercé par la douceur infinie des yeux sombres, et les biguines qu'elle murmurait en pensant à Saint-Pierre. Quelquefois, Pipi venait bavarder avec elle. Il était sans travail depuis le naufrage de la yole de Gogo. La pensée d'avoir un père dorlis le persécutait plus que jamais :

– C'est rien tu dis, et tout le monde dit : c'est rien. Je suis d'accord avec ça. Mais alors qu'est-ce qui me rend fou et maigre comme ça, qui me ferre comme un vieux chien, fout'?

Elle lui donnait des adresses pour les djobs. Pipi s'y rendait, s'y recommandait d'elle, mais les anciens employeurs de Clarine, habitués aux prodiges de sa force herculéenne, congédiaient bien vite ce jeune zoclik* (la brouette ne t'avait pas encore forgé les bras de fer des maîtres-djobeurs); Clarine le voyait alors revenir, plus lugubre et bancal qu'un cocotier au vent. Les marchandes, conquises par sa demi-folie aérienne et débonnaire, acceptèrent ses errances entre les paniers comme partie intégrante du marché. Le temps passa ainsi, les cannes de Clarine s'échangeaient ou se vendaient bien. Elle restait assise, son bébé anonyme sur le bras, yeux mi-clos, exposant sa force aux lèches du soleil, se levant parfois pour se dégourdir, calmer les larmes de l'enfant, ou parler avec ses commères marchandes, toujours étonnées de l'inépuisable douceur nichée dans ses yeux.

– Ma fille, mon Dieu! tes yeux sont comme des marigots sous la lune, hébin, hébin, hébin...

C'est dans ces habitudes qu'elle apprit que l'Amiral Robert allait partir et qu'un bougre en route sur le cuirassé *Le Terrible* venait le remplacer. Elle apprit que tout était fini, qu'on allait enfin pouvoir manger comme des gens du bon Dieu, oublier cette vie de chiens sur des yoles neuves. La fin de cette existence aride contre laquelle Clarine s'était habituée à opposer son énergie la décevait. Curieusement étrangère à cette joie fiévreuse qui déferlait, elle se sentit brusquement nue à l'orée de cette renaissance, comme inutile et certainement trop seule.

– C'est combien le bout de canne, mademoiselle?

* Maigre (ses os font « clik »).

Clarine distingua à travers ses paupières abandonnées la silhouette du plus beau mulâtre de la création. Il s'agissait, manmaye, de notre Ti-Joge, futur facteur, dont il est utile là même d'en savoir quelques mots.

(*Voici le milan* sur Ti-Joge, futur facteur.* Il était né aux Terres-Sainville, juste derrière l'église. Son père, d'après la parole, était un marin breton de passage qui avait échoué sous la fenêtre d'une belle mulâtresse, un soir d'orage. Le Breton fut séduit. La mulâtresse éblouie. Cet amour fut autant bref qu'efficace, car à la naissance de Ti-Joge sa mère Amédée avait déjà oublié les nom et visage du géniteur. Couturière, elle maniait une Singer à pédales qui lui avait donné des mollets de coureur cycliste. Elle s'était acquis une notoriété répandue sur au moins la moitié de la ville, en se spécialisant dans les robes de veuves, gaules informes et lugubres. Partie prenante à tous les enterrements, elle présentait chaque jour deux ou trois condoléances et distribuait aux quatre vents une carte de visite qui annonçait :

AMÉDÉE BALTHAZAR
Couturière diplômée de Paris
Robes de veuves et autres
3, rue Serviette – Terres-Sainville
Fort-de-France

Elle n'avait jamais vu Paris (mais que valait un diplôme d'autre part ?) et devait sa profession de couturière au hasard qui mit dans son lit, un soir d'orage (cette intempérie réveillait invinciblement son ventre), un douanier passé maître dans l'art du

* Information.

détournement de marchandises. Ce dernier lui offrit la machine à coudre Singer destinée à quelque mère béké, afin de s'assurer la vie pour les autres soirs de pluie. Au début, Amédée avait tourné autour de la machine en se demandant en quoi elle pouvait être plus efficace qu'une aiguille maniée avec patience. L'appareil demeura intouché, habité de ravets rouges et de poussières, jusqu'à cet autre soir d'orage où vint ce marin breton qui savait, en plus de la manière de féconder une mulâtresse, le comment d'une machine à coudre Singer à pédales et deux vitesses. Amédée trouva sa vocation en l'observant recoudre son uniforme quelque peu abîmé par un enlèvement précipité. La perfection de la couture intéressa si profondément la mulâtresse qu'elle abandonna la vente de pistaches pour se consacrer à la haute couture. Elle se contentait de copier les modèles repérés sur ses romans-photos, mais un jour d'enterrement une illumination profonde lui fit concevoir ces gaules sinistres de veuves en malheur qui devaient assurer son aisance. L'enfance de Ti-Joge fut donc confortable. Il devint un homme, après un bref séjour à l'école et une éternité dans les rues de la ville comme membre d'une bande d'adolescents chercheurs des sous perdus dans les dalots par les bitakos, paysans du samedi. Les gaules de sa mère ramenant de quoi vivre royalement, il ne travailla jamais. Sa grande beauté lui permit de poursuivre cette vie quand sa mère le chassa. Les femmes seules de Trénelle à Sainte-Thérèse lui assurèrent le gîte, l'amour, le manger et le rhum. Le reste du temps, il jouait de l'accordéon dans un petit orchestre de Redoute qui ne sortit jamais du lieu de répétition prêté par le curé. Il rencontra celle qui allait devenir sa femme, un jour de marché. *C'était le milan que vous savez.*)

Ti-Joge fut immédiatement séduit par la puissance de Clarine, la douceur étonnante de son regard; cette dernière sentit remuer en elle quelque chose de très ancien, le réveil d'un très vieux neuf qui rendit moite sa peau, fit briller ses yeux et augmenter l'infinie merveille de ses yeux. Elle se mit à entendre, à sentir, prit conscience du goût de sa salive, et, dans un craquèlement imperceptible, émergea de sa massivité terne avec l'élégance d'une jeune fille.

– Vous avez un bien beau bébé, susurra le mulâtre.

– Sé... sépa ich mwen kilà non... Sé ich an adanm. (Ce n'est pas le mien... C'est celui d'une amie.)

Elle voulait, sans le comprendre, se faire neuve pour cet homme-là.

– Ah, je le savais bien! s'exclama Ti-Joge.

Et il se mit à rôder chaque jour, brusquement amateur de cannes fraîches. Il détenait la parole et maîtrisait tout bonnement le français. Clarine, émerveillée, l'écoutait réciter les fables de La Fontaine où il se puisait une-deux principes de vie. Quand, quelques jours après, il lui demanda son adresse, elle ne put que la lui bredouiller tout en s'apercevant qu'il découvrirait son mensonge à propos de l'enfant. Le jour où Ti-Joge annonça une visite pour le soir, Clarine, déjà victime d'amour, perdit la tête. Son corps rond, d'habitude placide, fut la proie de spasmes et de sueurs froides. Elle imaginait déjà son beau mulâtre s'enfuyant à la vue du bébé, comme l'avait fait auparavant Alphonse Antoinette. Clarine se voyait une fois encore abandonnée aux portes de l'amour, le cœur habité d'un vieux dérèglement. Comme une folle, elle quitta le marché à la tombée du jour, oubliant ses cannes invendues et même son tabouret.

Avec les premières ombres, Clarine parvint devant la cathédrale Saint-Louis qui lançait sa flèche de canne à sucre vers le ciel. Elle signa l'enfant puis s'agenouilla quelques secondes avant de fouler les dalles de marbre et s'avancer entre les travées. La lueur des candélabres, l'agonie du soleil captée par les vitraux, l'écho sourd ondulant sous la voûte l'emplissaient d'une crainte respectueuse. L'endroit n'était pas désert. Des vieilles en misère, dévotement agenouillées, accablaient les orteils de la Vierge sous un champ de bougies. Quelques enfants de chœur se poursuivaient sur les bas-côtés. Des quimboiseurs (sorciers) s'alignaient pour laper l'eau des bénitiers, et un organiste tâtait de son appareil quelque part sous la crypte : le lieu saint s'ébrouait pour la grand-messe du soir. Clarine erra entre l'autel et le confessionnal, sans trouver l'ombre discrète à qui elle voulait confier le bébé. Les cloches anéantirent brusquement le silence. Elle crut y reconnaître la voix de Dieu en pleine malédiction, et quitta la cathédrale comme on abandonne la cible probable des foudres. En peu de temps, Clarine atteignit le parvis de l'église Saint-Antoine des Terres-Sainville. Cet autre lieu saint dépassait à peine les arbres, ses murs étaient gris, et ses vitraux ne ressemblaient pas à des morceaux de ciel. En y pénétrant, elle fut accueillie par une tiédeur moite, bien loin de la froide majesté de la cathédrale. L'endroit était désert. A quelques mètres plus loin, le tabernacle brillait comme une étoile. L'ombre environnante arborait une boutonnière de bougies allumées. Clarine déposa l'enfant sous un bénitier et s'en alla sans regard en arrière, le pas presque léger, cœur ouvert sur Ti-Joge. Pour elle, ce dernier abandonna sa vie de papillon, se fit facteur, oublia l'accordéon et l'épousa sans tibwa-ni-gwoka, ni tambour ou trompette, afin de ne pas rameuter la horde de ses conquêtes.

Pipi avait perdu Clarine de vue. Il était revenu parmi nous, au marché, où il vivait de troc et d'expédients comme le lui reprocha un juge vichyste avant de lui infliger sept mois de prison pour vol d'on ne sait quoi. Sa peine fut exécutée à la Maison centrale de Fort-de-France, dans le dortoir à dix lits bien connu de nous tous : tressant du vétiver, jouant aux cartes, se douchant sans arrêt, se cognant la tête contre les murs pour diluer une détresse cyclique dans les gouttes de son sang. Le soir, à l'extinction des lumières, ses compagnons de cellule se rassemblaient autour de sa paillasse, avides de ses histoires : il excellait dans la dramatisation des faits insignifiants. Pipi quitta la Maison centrale certainement plus délabré qu'à l'entrée. Mais il en ramena un mouvement dans les yeux. L'Amiral Robert n'étouffait plus le pays, mais la viande était encore rationnée et la famine rôdait en ville. Les marchés restaient engourdis comme aux heures chaudes des après-midi de carême. Des rumeurs couraient à propos d'Allemands revanchards que l'on s'attendait à voir débarquer, et la moindre ombre des rades était un sous-marin. Durant cette fin de guerre, Pipi n'inventa rien, absent, gobant la chaleur des après-midi ventre en l'air sur les caisses, il semblait regarder la vie comme on regarde passer au loin un chien galeux. Mais quand il se réveilla, ce fut de belle manière...

BOMBANCE D'APRÈS-GUERRE : LE ROI

Après la guerre, il y eut dans nos vies un bruissement de feuillages et la couleur des bonnes saisons.

Les marchés se réveillèrent comme des chiens sous une eau chaude. Un mouvement d'air se fit dans les allées : avec l'essence, la campagne redescendait en ville, porteuse des richesses de la terre. Sous Robert, la famine y avait fait réapparaître des légumes oubliés, des fruits disparus et, avant que les bateaux de France ne réapprovisionnent le pays, les marchandes en furent les reines. Elles étaient si nombreuses qu'il fallait sauter de panier en panier pour avancer dans les marchés. Les rues avoisinantes, dans un rayon de deux cents mètres, accueillaient les nouvelles venues. *Ô cette époque!* La municipalité avait tracé les choses au compas : viandes, poissons, légumes se vendaient séparément, sous des toits, entre des grilles et sur des établis. Le djob n'arrêtait pas. Les djobeurs rescapés de la guerre se reforgeaient les muscles des bras, les nœuds des épaules, le moteur des cuisses. Cette science de la brouette que nous développions décourageait les fausses vocations : être appelé maître-djobeur par les marchandes exigeait d'être vraiment fait pour, comme nous l'étions nous-mêmes.

Durant cette renaissance, le marché aux légumes devint le point d'ancrage définitif de notre groupe de djobeurs. D'autres s'étaient cristallisés autour du marché-poissons et du marché aux viandes. Notre clan se composait de cinq grands maîtres : Didon (couli sec, aux beaux cheveux noirs), Sifilon (ancien pêcheur des Anses-d'Arlets, musclé comme un vieux coq), Pin-Pon (nègre d'on ne sait où, mystérieusement habile pour éteindre les incendies), Lapochodé (brave bougre, rapide comme un cabri, défiguré à l'acide par une concubine) et Sirop (sorte d'ange, puissant mais tout gentil). Autour de nous gravitaient

75

deux apprentis : Bidjoule (fils adoptif d'une marchande ancestrale nommée Man Goul) et, bien sûr, celui qui était appelé à nous étonner tous, Pierre Philomène Soleil, fils de dorlis, Pipi pour le marché.

Aux grandes heures, notre marché grouillait. Les marchandes du Morne-Rouge y venaient avec leurs ananas, leurs régimes de bananes. Celles de Saint-Pierre y ramenaient les plus juteuses quénettes, les meilleurs avocats. Patates, dachines, ignames bénites du Lorrain, pacotilleuses de Sainte-Lucie, quimboiseuses de Bezaudin exposant herbes rares, poudre lunaire et bois-bandé, vannerie du Morne-des-Esses étonnant les touristes, barre de glace de la Pointe-Simon, seaux de citrons et piments de Tivoli – rien ne manquait à cette vie nouvelle. On y trouvait même les giraumons de Croix-Rivail débités en tranches fines, les derniers vendeurs de cuir tanné et de chaux, les petits métiers, les fruits de saisons, l'infinie variété végétale.

Venant de partout, les marchandes débarquaient à la Croix-Mission, près du marché aux poissons. Nous nous disputions leurs paniers quand elles n'avaient pas encore de djobeur attitré. Les brouettes pleines s'envolaient vers le marché aux légumes, talonnées des marchandes soucieuses de leurs produits : Ho pas de blesse à mes tomates !... Après le transport, venait vers huit heures et demie le rangement des établis. A cette heure, le client était rare, seul le peuple des marchés alimentait l'agitation. Les revendeuses assiégeaient les marchandes avec des voix d'assassinées. Nous, maîtres-djobeurs, pourchassions les débardeurs occasionnels qui tentaient de nous ravir

76

le déballage des sacs. Porteurs de fruits rares, les enfants dévalaient les allées, proposant à la cantonade une vente en contrebande. Aidés des jeunes brailles, Bidjoule et Pipi, nous préparions les étals : les tomates se disposaient en pyramides sanglantes, les ignames se répartissaient le long des grilles, les carottes se brossaient au bord de la fontaine jusqu'à la bonne couleur, et les patates douces s'époussetaient. Le gardien municipal, flanqué de ses acolytes, repérait les emplacements, évaluait les paniers et, malgré les malédictions, commençait à percevoir les taxes du jour.

– Je n'ai encore rien vendu et ce maudit-là vient me couper la gorge ! protestaient les paysannes.

En payant, elles recevaient un ticket à garder sous le mouchoir, et leur haine matinale s'éteignait dès le premier client.

Les établis rangés, nous nous rassemblions sur les caisses de pommes de terre, entre la grande entrée et la loge du gardien. Si Bidjoule demeurait parmi nous, modelant son immobilité sur la nôtre, attentif comme nous à couvrir le marché du regard pour deviner les désirs des marchandes, Pipi, lui, s'en allait déambuler entre les paniers, babillant pour lui-même devant les ergots des coqs djames élevés pour le combat, soupesant les concombres, posant le nez sur la courbe fragile des arums de la Médaille. Insensiblement, il devenait populaire chez les paysannes. On l'appelait pour qu'il goûte quénettes et mangots, qu'il juge de la saveur d'une pomme-liane... Il faut dire que nous, les maîtres, lui accordions peu de regards, insignifiant qu'il nous semblait, flottant dans son tricot jaune sale sous un chapeau-bakoua éteint. Bidjoule nous plaisait mieux : beaucoup plus jeune, plus épais, plus grand,

77

le muscle plus mobile sous une peau au grain fin. La parole disait qu'à l'époque de l'Amiral Robert, Man Goul, la plus vieille de nos marchandes (probablement éternelle), l'avait cueilli dessous un bénitier de l'église Saint-Antoine. Depuis que son fils, un géant redoutable parti en dissidence, était mort à la guerre, et que sa fille avait réussi une vie dans la France des merveilles, et que sa dernière compagne (une jeune fille nommée Anastase) l'avait abandonnée par amour d'un bâtard syrien, la vieille vivait solitaire. A l'époque, elle était vendeuse de frites ambulante, et c'est au retour d'une de ses tournées qu'elle avait fait un rond par l'église où l'abbé venait de découvrir un bébé endormi, béat comme un rhumier. L'abbé, s'apprêtant à fermer, était bien embêté et ne savait qu'en faire. Il s'était alors avancé plein d'espoir vers Man Goul en prière sous la statue de la Vierge.

– Madame Goul, s'il vous plaît, il est à vous cet enfant?

Man Goul n'attendait rien de la vie, ni du facteur. Ses frites se vendaient bien mais son cœur était déserté. Il ne lui restait qu'une amie, Anastase, chez qui elle allait s'asseoir pour écouter la radio et parler de la vie entre des gorgées de toloman. Alors quand l'abbé t'avait posé la question, sans vraiment comprendre, tu avais répondu oui-oui. Serrant sur ta poitrine creuse le petit corps chaud, bien vivant, tu étais vivement rentrée chez toi, furtive. Pour la première fois depuis longtemps, tu avais fermé ta porte à double tour, préparé un lait d'enfant. Tu l'avais amoureusement lavé avant de l'allonger sur ton propre lit. Ce fut pour toi une nuit de veille sans rhumatismes : cette vie neuve troublait ta désolation, comme l'avait fait bien longtemps auparavant le séjour d'Anastase dans ta maison. Nommé Daniel, l'enfant devint ton fils adoptif : jamais tu ne lui laissas croire que tu étais sa mère. Pour lui, tu abandonnas la vente des frites qui déraillait tes jambes, pour t'asseoir au marché derrière un panier de légumes. Daniel poussa à tes côtés jusqu'à cette hauteur où, le trouvant beau, nous l'appelâmes Bidjoule, aspirant-djobeur. Pin-Pon l'avait pris sous sa coupe, lui enseignant notre science. Sirop, lui, s'occupait de Pipi.

Vers le milieu de la matinée se trouvait une heure indécelable durant laquelle les clients se raréfiaient. Quittant le perchoir des caisses, nous accomplissions alors ce qui était devenu un rituel : rejoindre Pipi autour du panier d'Elmire, pacotilleuse aux voyages innombrables. Il y avait toute la poussière du monde sur ses souliers. Pour susciter dans sa tête les souvenirs, elle secouait ses papillotes grises. Sa parole d'os nous rendait chiens.

> Et Haïti, manman blessée du
> cauchemar Doc
> qui peint sa vie naïvement
> sans espaces et sans temps.
>
> J'ai vu Barbade calcaire jambon
> coiffé du Hillaby
> Onze saints la découpent
> et l'Anglais mange le tout.

Nous nous serrions autour de sa parole. Sa gorge roulait le chant des vagues contre la coque des bateaux, la traîne du vent à hauteur des oreilles. Elle avait vu les gouffres verts et leurs petits yeux d'îles. D'autres nous-mêmes dans l'anglais, l'espagnol, le portugais et, souvent, le créole protéiforme. Centre d'étoiles dont nos brouettes étaient les branches, Elmire perdait son air d'oiseau mouillé pour renaître comme certains fruits lustrés par l'eau d'orage. Le gardien municipal rôdait. Au loin, Man Elo, reine du macadam, hélait l'amateur de losis, beignets fleuris de piment. La rumeur montait des paysannes. Pipi fixait sans arrêt les yeux de l'ancienne voyageuse, étonné que ces petites pierres aient pu amasser autant de paysages.

> Saluez Grenade, mes enfants.
> On dit qu'elle vogue vers l'autre Amérique
> et que
> Cariacou, Ronde et Petite-Martinique
> sont des signaux pour nous.

> Grenade, disait-elle,
> entre Tobago, Trinidad et Margarita,
> tu ouvres vers la grande terre
> une calenda de petites jupes.

> (a-a! Elmire pleurait sur ça)

Midi ramenait la fièvre jusqu'à une heure. Sortant de partout, les clients arrivaient. Les couteaux pénétraient le secret des cœurs de giraumons. Les sous tintaient. Les billets, mous comme des fleurs fanées, exhalaient leur odeur. Parfois, un chien atteignait l'établi des cuisinières, guettant les poissons marinés dans l'orange sure et le piment. Man Elo lavait son riz en chantant de manière inaudible, une chanson qu'aucune mandoline n'avait pu courtiser. Le marché vivait à plein, levant les hauts bambous du bruit. Une chaleur commençait à traverser les tôles.

Les fruits libéraient d'impatientes odeurs, cousines lointaines d'alcool et de sucre. Une sueur neuve mollissait nos tricots jaunis par les anciennes.

Eéé Guadeloupe
volcanique et calcaire
calme et tourmentée
à partir des sauts de Bouillante
tu vas téter les hauts vents de Soufrière
et aux deux mamelles tu descends vers la Grande

Là entre plateaux et grands fonds
il y a l'œil entrouvert de Grippon-Morne-à-l'Eau
(et les Abymes vont toucher l'eau)

Elmire terminait toujours par la Guadeloupe. Elle y avait laissé un bout de cœur à un nègre aux yeux gris. Ce souvenir lui baissait les paupières.

– Maintenant laissez-moi tranquille, hein, j'ai besoin de vendre !...

Elmire s'ébrouait, rangeait ses légumes, ajustait son mouchoir, et levait le regard pour chercher le client. Libres alors, nous retournions aux caisses.

Entre midi et treize heures, quelque chose se brisait dans le marché, comme un contretemps de quadrille. Sans concertation, nous prenions-courir vers le sanctuaire d'une messe au rhum. Notre bistrot d'élection était *Chez Chinotte*, situé non loin du marché. Une table réservée y attendait notre groupe. Chinotte, la patronne, avait débarqué d'un bateau colombien, lestée de deux valises trop lourdes pour ne pas regorger de pièces d'or. Dès le lendemain, l'Aventurière achetait le bar des mains de Bonne-Manman, une sexagénaire déréglée par la mort de son mari, qui

81

laissait crasse et poussière envahir le bistrot. Avec Chinotte l'endroit reprit vie. Une jeune fille du Marigot, employée comme serveuse, naviguait entre les tables, accablée d'une tristesse incompréhensible. Le soleil zébrait la pénombre ambiante en traversant les persiennes disjointes. Cliquetis de verres. Claquements de langue. Le rhum clapotait, mêlant ses effluves à l'odeur des madères de prunes. En silence, nous communions du premier punch, puis venaient les braillements de la première ivresse que Chinotte, du haut d'un trône de cahiers de crédit, feignait de désapprouver en se nouant les sourcils.

Malgré sa grosseur, Chinotte était élégante. Courageuse, elle maîtrisait sans aide les bandes de marins soûls qui les samedis soir écumaient la ville. Elle commandait, en plus, un petit monstre protecteur qui l'aidait à déjouer les maux de la malchance. Une partie du trésor ramené de Colombie était cachée dans l'appartement au-dessus du bar, l'autre se trouvait sur elle en bijoux d'or massif, depuis les anneaux-créoles jusqu'à ce collier-choux dont l'une des boules renfermait la poussière d'une pierre noire de Trinidad, absolu contrepoison. L'araignée épinglée sur son sein gauche, prodige aveuglant, ne provenait pas de Colombie. Nous avions tous vécu l'apparition de ce bijou extraordinaire...

(*Voici la rumeur sur l'araignée-prodige.* Depuis l'arrivée de Chinotte au pays et son existence de femme seule, aucun foubin (téméraire) ne lui avait proposé la chose, ni risqué deux doigts vers ses seins par-dessus le comptoir. Le seul à avoir tenté de l'inviter au bal des Sages du Robert, si propice aux folies, fut un quimboiseur, terrible sorcier de l'anse

Gouraud. Les rondeurs de Chinotte, et sans doute pour une bonne part son or, persécutaient le quimboiseur que l'on voyait rôdailler dans le bar, plus souvent qu'à l'heure du punch, sapé et parfumé. L'Aventurière, protégée par son monstre, ne craignait pas le quimboiseur, et repoussait ses avances en soulevant un sourcil. La chance de ce dernier fut qu'à cette époque un orfèvre de la rue Ernest-Renan menait les métaux précieux au fouet d'une fantaisie géniale : Monsieur Nicéphore Adeldade. Apparu dans Fort-de-France quelques jours après un cyclone, le bijoutier racheta le local d'un cordonnier déraillé par le diabète et le rhum (l'artisan ne maîtrisait plus son travail, et nous portions nos santiagos ailleurs). Nicéphore Adeldade installa sa bijouterie et devint célèbre en un moment. Les négresses de Macouba ou de Grand-Rivière bravaient les dangers d'un voyage vers Fort-de-France pour lui commander anneaux, broches et colliers. Il en venait aussi de Sainte-Anne, du Diamant, raidies par leurs vêtements amidonnés. Sa gloire passa bientôt la mer et, à l'heure de l'oiseau pipiri qui annonce l'aube, des personnes de l'et cætera espéraient devant sa boutique. Les békés, au départ, méprisaient notre artiste. Mais, son succès grandissant, ils en vinrent à commander aussi leur part de ce soleil modelé entre ses doigts. Messieurs et dames, notre compère divinisait l'or en dentelles fines. La courbe de ses anneaux n'était pas de ce monde. Ses chaînes gros-sirop, ses broches à clous, ses tétés-négresses, ses nids-de-guêpes, ses bouts de cannes, ses dahlias, ses pommes-cannelle, ses chenilles restaient incomparables. Pour le madras, il réinventa la barrette et le cabochon. Il trouva pour la chaudière calendée l'épingle tremblante qui fixe les plis de la coiffe et laisse se balancer au bout de fins

83

ressorts les petites sphères creuses, sanctuaires des mèches d'amour. Sa fortune était faite quand le malheur l'anéantit sans même laisser un poil.

Donc : un matin (priez pour nous, Seigneur!), on frappa à la porte de la bijouterie. L'orfèvre divin ouvrit. L'entrée du quimboiseur de l'Anse-Gouraud fit ternir une bague naissant sur la plaque de marbre noir.

– Je veux ton plus beau bijou, dit le quimboiseur, celui où tu engageras si profondément ton âme que tu ne la retrouveras plus!

Et il aspergea Nicéphore Adeldade des sueurs de la tortue molocoye, le tout certainement aggravé de la cire d'yeux d'un mulet mâle très vieux. L'atelier du bijoutier, soumis par ce maléfice, retentit sous la lune d'une activité intense. Du vif-argent jaillissait des persiennes de la fenêtre. Au matin, dans l'atelier noirci comme l'auberge d'un soleil, les experts de la police tentaient sans illusions de retrouver trace du bijoutier, tandis que le quimboiseur, midi sonnant, commençait à koker (baiser) Chinotte à l'étage du bistrot. Il lui avait offert ce bijou fabuleux où s'était consumé notre plus grand artiste, et, wabap, les défenses de l'Aventurière s'étaient dispersées.

Après avoir koké Chinotte de longues heures sans une panne, le quimboiseur apparut dans le bar au cours d'une messe du rhum, à l'aise comme un maître de maison. Il servit lui-même une tournée générale, et offrit une bouteille entière à Pipi qui lui avait récité une belle parole. Un taxi lui amena bientôt ses valises, et Chinotte, revenue à la caisse, fut traitée toute la journée en chienne domestiquée. L'arrogance du quimboiseur dut le perdre. Le soir venu, il s'apprêtait à se lover en caleçon conquérant sous les draps de sa nouvelle esclave, quand le monstre Anticri que Chinotte porte la nuit sous les aisselles se montra. Nul ne sait si l'Anticri l'accabla d'une malédiction précise ou se contenta d'un regard dans le blanc des yeux. Toujours est-il que notre quimboiseur est maintenant une épave innommable, mangeant ses excréments derrière le temple adventiste. Après cette nuit fatale, Chinotte fut à sa caisse, divine dans l'aura de son dernier bijou. *C'était.*)

A la messe, les fidèles étaient là : nous, Ti-Joge, le facteur (Pipi ne savait pas qu'il avait épousé Clarine), quelques pêcheurs de Rive-Droite, des campagnards qui, leur femme ancrée à l'établi d'un marché, venaient présenter leurs hommages à Chinotte, et parler autour du rhum de football, de bois-bandé, de misère à égarer par un exil définitif vers la France, pays de rêve. Chinotte avait l'accueil souriant, un bon mot pour chacun, mais rappelait régulièrement à quelques-uns l'état de leurs dettes des six derniers mois. Car, si les punchs s'accordaient facilement à crédit, Chinotte les relevait au bic indélébile sur les gros cahiers qui lui servaient de trône.

Vers presque quatorze heures, nous regagnions le marché, affamés, impatients du macadam royal de Man Elo. Le marché commençait juste à s'engourdir. Quelques clients attardés savouraient les marchandages. Les enfants derrière leur mère gardaient le nez dans les gamelles, et les marchandes au front soucieux supputaient déjà le gain de la journée. L'après-midi, dans les établis désertés, chacun reposera sa fatigue sur la paix de ces heures chaudes, après l'écoute religieuse des avis d'obsèques que la radio diffuse au mitan de chaque jour. Avec la première fraîcheur, le marché renaîtra doucement : vente des légumes-soupe et du bouquet mêlé. A la première ombre, il fautra ranger les invendus en sacs et boîtes, les serrer fond sous certains établis tandis que la marchande murmurera une prière raticide. Récolter les paniers, s'envoler dans l'autre sens, nous occupera jusqu'aux portes des dix-neuf heures. Nous nettoierons alors les brouettes. Pipi et Bidjoule suffoqués par leurs beautés nous aideront. Dans la nuit, le clan se dissoudra, chacun pour soi dans la solitude d'une case ou la chaleur d'une négresse. Pipi et Bidjoule retrouveront leur mère, la soupe rituelle près d'une lampe à pétrole. Quant à nous, pour cette part de l'existence, permettez la discrétion : il n'est dit nulle part que l'on doive tout dévoiler.

Pipi, roi des djobeurs, mi.   Pipi et Bidjoule étaient pour ainsi dire à l'école du métier. Sirop et Pin-Pon leur servaient de mentors, et, au long de la journée, à petits signes du doigt, clins d'œil, silence et mots rares, ils leur transmettaient l'essence du djob, faire et savoir du maître-djobeur. L'approche des marchandes, le maniement des fleurs délicates et des fruits susceptibles, les différents rangements des qualités de grappes, l'entassement du mou et du solide subtiles manières qui hameçonnaient la marchande, la rendant fidèle à un djobeur jusqu'aux clous du cercueil... Aujourd'hui dérisoire, tout cela nous permit de survivre quand d'autres nègres basculaient sans remède. Vint l'heure pour les deux jeunes de se construire brouette. Cela leur prit un temps sans comptable durant lequel Sirop et Pin-Pon les ignorèrent complètement, et nous-mêmes encore plus : là, naît le djobeur, seul et libre avec lui-même.

86

La construction de la brouette.

Dans la germination

infini désir de son aboutissement toute
impatience soumise au vital assemblage
échinée sous le problème de l'essieu le
délicat dosage des forces de l'avant et
l'inquiétude d'en rater les bras arbres
essentiels des équilibres ciselure de leur
puissance

Il fallait naître avec véritablement sentir
la tranquille possession cette progressive
densité de soi offerte comme une élucida-
tion d'écriture Dire enfin l'amour dégagé
pour tout arrondir et amorcer le définitif
encore jamais connu

Avec les djobs viennent
le modelage des doigts
la patine du manche
et
la naissance des muscles de l'épaule
seuls dompteurs véritables
de la Bête.

Comment dire le plaisir de voir des jeunes sur nos
traces, nous refaire, nous inscrire dans le temps?
Ô vanité de cette époque : nous nous crûmes immor-
tels! Notre clan s'augmenta de deux brouettes,
encore raides mais prometteuses des mille souplesses.
Elles nous semblaient équivalentes, bien à l'image du
savoir de Pin-Pon et de Sirop, et il nous fut impossible

de déceler dans la brouette de Pipi celle qui en vieillissant surclasserait toutes les autres. Dans les rues, de djob en djob, Pin-Pon et Sirop leur montrèrent le mouvement des hanches qui permettait une avance sans à-coups, les pressions sur la barre pour les divers ciaques (détours). Quand ils furent à point, que Sirop et Pin-Pon n'eurent plus de manières dans leur direction, que certaines marchandes les désignèrent maître-ci, maître-çà, et qu'ils utilisèrent à merveille les cris du djob*, Man Elo nous offrit un macadam-merci, et Man Goul, les légumes-de-la-reconnaissance. Ce jour-là, scusez Seigneur, la messe du rhum fut une vraie fête païenne.

Vint alors l'événement qui nous révéla Pipi, le sacrant sans plus de fioritures grand maître de la brouette, roi de nous autres djobeurs. La rumeur avait couru qu'une marchande de la commune de Ducos descendait au marché, porteuse d'une igname démesurée : il lui avait fallu louer toute une voiture. Les maîtres-djobeurs, Sifilon, Pin-Pon, Sirop, Lapochodé, Didon, Bidjoule et Pipi, groupés sur leurs caisses, apprirent ensemble la nouvelle. Les avantages de ce djob s'imposèrent à chacun : la gloire (photo en journal du monstrueux légume et du djobeur avec), les sous (la marchande, certainement dans tous ses états, serait large à la détente), l'équilibre de la brouette (y transporter une igname assurément magique ne pouvait que bonifier l'heureuse élue). La marchande de Ducos, bien qu'elle appréciât Didon, n'avait pas encore de djobeur attitré : le premier arrivé à la Croix-Mission aurait le djob!... Comme une touffe de rats fuyant un feu de cannes, dans des

* Voir, en annexe, le relevé intégral des cris du djob.

dérapages contrôlés de brouettes, nous nous élançâ-
mes. Les *Ba mwen lê*, les *Pin-pon-pin-pon...* tous nos
cris de chiens ferrés tonnaient. L'affaire n'était pas
simple. On était un samedi. Voitures et gens foison-
naient. Une foule compacte entourait chaque marché.
Vaincre là relevait du génie car il était indispensable
de calculer au plus exact la vitesse, la longueur du
pas, de manier la lourde brouette comme une plume
pour ne blesser personne, ne rater aucune ouverture.
Cela exigeait une connaissance parfaite de la géographie du quartier, des dimensions de chaque rue, et
surtout une aptitude à réagir à l'imprévu. Or, chacun
étant docteur en brouette, personne n'eût été surpris
de nous voir arriver ensemble devant la marchande
de Ducos. Pourtant, Pipi nous devança d'une minute
et cætera.

Voilà l'histoire : Sirop, Pin-Pon, Sifilon et Lapochodé dévalèrent la rue Antoine-Siger et débouchè-
rent ensemble sur le boulevard Allègre qui longe le
canal Levassor jusqu'au marché aux poissons. Le
coup était bon (ce marché jouxte la Croix-Mission),
mais classique. A dix heures, la rue Antoine-Siger est
libre. Le boulevard Allègre a ses trottoirs encombrés
de marchandes et quelques voitures à la file, mais il
est suffisamment large pour un bon vol de brouette
jusqu'au marché aux poissons, puis à la Croix-
Mission. Ce que tentèrent Sirop, Pin-Pon, Sifilon et
Lapochodé. Sirop les devança car il mania sa brouette
de biais sur une roue arrière, ce qui réduisit sa
largeur et lui permit de foncer. Au bout du boulevard
Allègre, Lapochodé, Pin-Pon et Sifilon tombèrent
dans une nasse de personnes en quête de poissons
(ils l'avaient prévu, mais oublié les arrivées tardives
du samedi où, jusqu'à onze heures, les voitures

bâchées bloquent tout pour décharger). Ils y perdirent une minute et demie. Beaucoup trop. Sirop, ayant évalué cette gêne à sa juste mesure, quitta le boulevard Allègre par la rue Ernest-Renan avec l'idée d'une arrivée directe à la Croix-Mission par la dernière section de la rue François-Arago. C'était bien vu, mais il y perdit sept secondes à hauteur d'un magasin syrien où un camion s'était rangé de travers pour livrer des rouleaux du tout nouveau nylon. Il dut improviser une manœuvre qui lui coûta la première place.

Bidjoule et Didon, eux, quittèrent tout de suite la rue Antoine-Siger, virèrent dans la rue François-Arago. Le coup était risqué. Cette rue donne pile sur la Croix-Mission mais elle est constamment encombrée de voitures et de gens à hauteur des magasins syriens où le nylon est exposé. Ils pensaient vaincre cette difficulté en roulant la brouette à cheval sur la rue et le bord du trottoir. C'était oublier les intersections de la rue Lamartine et de la rue Ernest-Renan où piétons et automobiles se nouent inextricablement. Ils y perdirent près d'une minute. De plus, comme Sirop, ils durent encore manœuvrer autour du camion de nouveauté textile. Cela leur coûta trente secondes, et le djob.

Pipi prouva son audace folle, son imagination fulgurante, et, final, sa connaissance sans faille du quartier. Il longea le marché aux légumes vers la rue Isambert. Cela lui prit quatre secondes, vite rattrapées en remontant à grand allant la rue Isambert, dégagée à cette heure du samedi. Dépassant la cour Perrinon, traversant la rue Victor-Sévère, il dévala la ruelle Abbé-Lecornu absolument déserte, et déboucha sur le boulevard du Général-de-Gaulle, encombré mais large comme un nez, donc sans problème pour un maître de la brouette. Vif comme un serpent jaune, Pipi le remonta. Son dérapage contrôlé fut triomphant devant la marchande de Ducos, qui lui laissa l'igname. Ce chemin fut désormais intitulé *Chimin Pipi*, et nous l'utilisâmes pour les grandes occasions.

Les marchandes avaient suivi l'affaire et lui firent fête. Le gardien municipal, qui depuis sa nomination nous avait à peine salués, tint à lui serrer la main et lui demanda son nom. On se pressait autour de lui, on examinait sa brouette. Nous n'eûmes même pas la possibilité de l'approcher pour lui dire l'amour et le respect. Une foule rappliquait de partout, et un photographe de journal le mit debout sur l'igname aux côtés de la marchande de Ducos. Sur la balance municipale, la monstrueuse racine avait donné cent vingt-sept kilos cinq cents. La matinée de ce samedi tourbillonna autour du monstre et de la gloire de Pipi; vendeuses, gens de la ville vocalisaient à mort. La marchande de Ducos, c'était terrible, ne savait pas comment vendre ce défi aux famines : en tranches? en bis? au mètre ou au kilo? De plus, personne n'avait le cœur d'y planter un couteau, si bien que le monstre restait là près de la marchande désemparée.

Ce jour de gloire, Pipi retrouva Clarine devenue Man Joge. Le facteur l'accompagnait avec un air de colonel dans son uniforme des P.T.T. L'année de leur mariage, ils avaient eu une fille, Pauline, câpresse aux gros cheveux, puis un garçon, Emile, dont personne ne savait encore le tragique destin. Le marché n'avait pas oublié la nouvelle Man Joge, ses magiques yeux tendres jugeaient bien les légumes, et elle ne discutait jamais des prix; jusque-là, le hasard n'avait pas voulu qu'elle rencontrât Pipi. Elle l'aperçut quand il se dressa sur l'igname à la demande du photographe. Malgré les terribles épaules royales, les muscles noueux de maître-djobeur, elle reconnut l'adolescent qui durant la guerre se mortifiait d'avoir un père dorlis. Là, il était vif, puissant, plein de belles paroles à la langue, seule quelque ombre fugace dévoilait parfois l'ancienne douleur au fond de ses yeux. Après leur mariage, Ti-Joge n'avait pas voulu que Clarine revienne comme marchande parmi nous, elle s'était faite alors cuisinière chez une madame de la rue Lamartine. Le facteur, communiant comme nous-mêmes à la messe du rhum, fut heureux d'appprendre que sa femme connaissait si bien le nouveau grand maître des brouettes. Il les écouta, ravi, évoquer leurs souvenirs de guerre et, pour bien achever la matinée, nous ramena tous au *Chez Chinotte* vers le rhum du souvenir. Man Joge, comme cela sied aux dames, regagna sa maison. Nul ne se doutait que de revoir Pipi lui avait ravivé une vieille torture : l'enfant abandonné... Chez Chinotte, le facteur fut éblouissant, et voulut à tout prix mesurer son savoir sur Fort-de-France à celui de notre nouveau maître.

– Eh bien, Pipi, hurlait Ti-Joge de sa table, comment ferais-tu pour atteindre le calvaire en trois minutes, sans passer par le boulevard du Général?

Souvent, Pipi répondait là même, remplissant de fierté les djobeurs de la salle. D'autres fois, il finissait de siroter son punch, mais sa réponse même tardive se révélait juste. Déjouer les colles de Ti-Joge paracheva ce jour-là le couronnement de Pipi. Nul n'était censé connaître Fort-de-France mieux que le facteur :

il l'arpentait chaque jour, six heures durant, d'un pas égal, dans les mornes et les pentes, les escaliers ou les couloirs. Cette science urbaine était unique dans cette ville née d'un marais malsain mais jugé bon par le gouverneur Du Parquet pour situer le prochain fort du Roi. Sur les premières terres arrachées à cet enfer on édifia une église. On détruisit les palétuviers, on construisit des maisons qu'il fallait reconstruire après chaque inondation. Malgré la ville de Saint-Pierre qui brillait de mille feux, l'on vint de toute part habiter la nouvelle-née. Rochambeau l'appela Fort-de-la-République. Plus tard, on la dit Fort-de-France. Elle survécut aux tremblements de terre tellement subits que les rats ne prévenaient personne, aux inondations de septembre, aux épidémies de lèpre et de petite vérole. Elle résista même à la calamité d'une forêt de flammes* furieuses. Les maisons flambèrent comme des cannes sèches, avec des élans de rouge et de jaune spectral qui cuivraient le paysage. Toute la ville se mua en une flamme qui lécha un nuage avant de se racornir sur des cendres dociles. Elle survécut, mais sombra dans la vieillesse d'avant-l'âge des négresses malheureuses, et demeura rampante dans cette baie face à la mer comme la découvrit Béhanzin**, l'ex-roi du Dahomey, exilé chez nous par les colonialistes avec quelques-unes de ses femmes, ses quatre-vingt-dix enfants, ses conseillers qui ne savaient plus quoi conseiller dans cette cité mal revenue des cendres. Béhanzin la trouva si surprenante qu'il s'usa un œil à l'observer du fort Tartenson où on l'avait coincé. Il y passa des jours entiers sans comprendre le mystère de

* Grand incendie de Fort-de-France, le 22 juin 1890.
** Le résistant anticolonialiste arriva en Martinique le 30 mars 1894.

cette ville. Cette énigme lui demeura intacte quand, transféré face au séminaire-collège, il la lorgna minutieusement du balcon de sa villa, entouré de ses conseillers qui lui disaient : Altesse, demandez à quitter cette ville maudite. La santé définitivement compromise, Béhanzin quitta notre pays pour l'Algérie, où il mourut à peine débarqué... A la différence de Pipi, insoucieux du passé, Ti-Joge le facteur savait tout cela, et plus encore. Il courtisait la ville en la sillonnant chaque jour, distribuant un courrier inépuisable de joies et de malheurs. Il lisait les lettres de ceux qui ne le pouvaient pas, oui c'est ta fille qui t'écrit là et te dit que ça va, expliquait les imprimés administratifs qui nous nouaient le cerveau de leurs questions impossibles, on te demande ton âge... ?

Sans jamais rater la messe de midi de *Chez Chinotte*, Ti-Joge ne buvait pas une goutte durant son service. Il refusait tous les verres jusqu'à la dernière lettre où, enfin, il s'asseyait, prenait le temps de parler de la vie, de siroter une demi-bouteille en compagnie de Pipi qu'il aimait bien. Le maître-djobeur lui contait ses aventures de guerre, sa dérive à l'annonce de son père dorlis. Ti-Joge lui parlait des veuves, des jeunes filles en fleur qu'il terrassait sous sa fière beauté de pirate en uniforme.

Man Joge vint chaque jour au marché. Elle cherchait Pipi et lui confiait ses achats de légumes, guettant l'heure et la manière de lui révéler sa secrète torture. L'igname de la marchande de Ducos mettait le marché sens dessus dessous, et l'extraordinaire popularité de Pipi lui laissait peu de temps. Pourtant, un jour, elle put lui dévoiler sa honte.

– Alors, tu as abandonné l'enfant de Gogo ? s'étonna Pipi. Où ça, han ?

– A l'église Saint-Antoine.

– A-a!

– Sa anté pé fè? (Que pouvais-je faire d'autre?) gémissait Man Joge.

Nul ne leur prêtait attention, ni les marchandes, ni nous-mêmes, occupés à vocaliser sur l'igname monstrueuse.

– Je vois pas ce que je peux faire pour toi...

– Anlé sav là ti-manmay la pasé, Pipi... (Je veux savoir où il se trouve...)

– Tu veux le reprendre?

– Noon, Ti-Joge n'en sait rien, et il n'en voudra pas... Je veux tout juste aider l'enfant...

Pipi, ce jour-là, n'avait rien répondu...

Presque malgré lui, Pipi s'était rendu à l'église Saint-Antoine. Il y était entré à reculons afin de ne pas indisposer Jésus et sa famille, car il n'avait jamais prié. Après une inutile inspection des bénitiers, le curé lui révéla que l'enfant en question avait été récupéré par une âme pieuse résidant à quatre pas, ancienne vendeuse de frites. Pipi ne fit sur le moment aucun rapprochement, ce n'est qu'en se rendant à l'adresse indiquée, toc-toc, oui-oui qui est là? et que Man Goul lui ouvrit... DOUX JÉSUS!...

– Eh bien, Pipi, tu viens me voir alors? grinçait l'immortelle.

Le maître-djobeur demeurait ababa comme une mouche près d'un sirop. Dans sa tête, tout se mettait en place : Daniel, le petit garçon adoptif de Man Goul, appelé Bidjoule parce qu'il était beau, grandissant près des brouettes, plus intelligent au djob qu'à l'école, sacré couillon hurlait Man Goul, mais le garçon aimait les djobeurs, s'agripper à la barre des brouettes, tenter les manœuvres délicates, une rare pâte de maître qui s'affirma au même rythme que celle de Pipi déjà plus âgé.

– Sa mère, c'est Man Joge...

– Hein?

– La femme de Ti-Joge le facteur...

– Quoi, la femme de Ti-Joge?

– C'est la manman de Bidjoule...

– Kisa Bidjoule? Kisa Bidjoule...

– Daniel...

Bidjoule était absent. La vieille put déployer toute sa rage à la révélation : Quoi, cette grosse chienne, c'est elle? Abandonner un enfant comme ça hébin! Même si c'est dans la maison du bon Dieu, ça ne se fait pas tout de même quand même eh bien!? Y'a des gens sans sentiments... Mais Man Goul avait trop vécu pour négliger les ravages de l'amour, et quand Man Joge alertée par Pipi se présenta devant elle, la vieille la serra contre son cœur comme cela se fait pour ceux qui ont souffert.

– On va lui dire? souffla Man Goul.

– Je ne sais pas, répondit Man Joge.

– Ça va embrouiller sa tête... Laissez ça tomber, conseilla Pipi.

– Je lui ai toujours dit que sa manman était morte.

– Alors c'est bien comme ça, Madame Goul, conclut Man Joge.

La marchande de Ducos était demeurée aux côtés de l'igname, pleine d'interrogations, regardant défiler sans plus rien y comprendre, la vie, les curieux, et les touristes qui photographiaient le prodige. La nuit, ne délaissant pas son trésor végétal, elle logeait dans une chambre en face du marché, et guettait aux persiennes le moindre mouvement suspect. Les touristes affluaient de plus en plus. Pipi lui conseilla donc de faire payer les photos. Balayant sa mortelle indécision, la marchande de Ducos recouvrit le monstre d'une toile cirée à ne soulever qu'au prix de francs, de dollars, et de beaucoup d'autres qualités d'argent que seul Ti-Joge le facteur savait reconnaître et estimer. L'industrie dura quelques mois jusqu'à ce que l'igname devienne une crème véreuse. L'odeur était telle que nous aurions abandonné le marché si le service municipal d'hygiène n'avait pas dissous cette peste au lance-flammes. La marchande de Ducos passa le restant de sa vie à injurier les guichetiers des bueaux de change qu'elle hantait en compagnie de Ti-Joge : les estimations en milliards de ce dernier ne correspondaient jamais à celles des banquiers quand la marchande leur étalait ses vingt sachets d'étranges billets. Elle batailla longuement pour son trésor cosmopolite, s'entourant d'avocats et d'experts dont les factures s'accumulèrent, entraînant la saisie de sa terre, de son mobilier, de ses paniers, et, bien sûr, des vingt sachets dont l'estimation judiciaire couvrit le dixième du demi-tiers des dettes de la malheureuse, qui mourut d'un chagrin inconnu des sorcières.

Donc : l'affluence provoquée par l'igname introduisit dans la vie du roi des djobeurs les joies et douleurs d'un premier amour. A ses heures libres, il aidait la marchande de Ducos à la récolte des billets étranges que donnaient les touristes. L'igname était devenue un objet de pèlerinage, et ramena au marché des gens qui n'y seraient jamais venus, ou rarement. C'est ainsi qu'un jour Man Goul se présenta en compagnie d'une créature nommée Anastase :

– Pipi souplé, laisse ma petite-fille voir l'igname...

Et le roi vit l'échappée-coulie*. Et il en devint gris, fixant la merveilleuse avec l'œil que nous réservions d'habitude aux belles voitures. Elle était grande, éolienne, avec une pulpe frissonnante sous la robe de madras. Ses pupilles étaient des nuits ensoleillées, et ses lèvres offraient toutes les promesses des bourgeons d'hibiscus. Se ressaisir, soulever la toile cirée, et sourire, se révéla si curieusement difficile que Pipi y passa une-deux temps. Anastase contempla l'igname avec un sourire triste. Elle dit quelques mots, mais Pipi hébété n'entendit qu'une musique de musique. Quand l'inouïe s'en alla en compagnie de Man Goul après quelques remerciements, la marchande dut soutenir notre homme et l'appuyer contre la grille : Pipi ho, une faiblesse?... Il ne répondit pas, subjugué par la silhouette qui ondulait aux côtés du clopinement de Man Goul.

– Qui est-ce han, cette fille-là?

Avant que la marchande ne puisse répondre, il avait déjà rejoint les deux femmes, s'immobilisant près d'elles comme un chien en mal de maître.

– Que cherche la dame, Man Goul ho?

– Des concombres et une douceur de saison...

Et le roi fut magistral : mains papillonnantes, mille paroles à la bouche, il déploya sa science des établis, leur montra les treize marchandes du concombre massissi hérissé de piquants mous, que l'on mange en vinaigrette, et marchanda pour elles avec sept autres les prix des gros-concombres qui rafraîchissent le cœur; il leur dénicha la plus rare des pastèques, jaune, rayée de vert sombre, dont la chair est une eau rose, et une grappe de sapotilles pour moins de trois fois rien. La créature le remercia avec une belle

* Métisse indien-nègre.

98

chaleur, l'achevant d'un sourire qui le planta au milieu d'une allée, plus fixe qu'une tige de grille. L'après-midi, le maître délaissa ses habituelles tournées et quelques djobs promis. Plus collé à Man Goul qu'une ombre de midi, il lui éventa les chaleurs, lui massa un rhumatisme, lui tua sept mouches hargneuses et lui tint compagnie jusqu'à ce qu'il puisse lui poser d'impatientes questions. De loin, son manège nous amusait : impossible encore d'imaginer qu'il avait reçu la calotte de l'amour, et que dans cette turbulence naturelle il nous délaisserait pour les joies malsaines d'un rhum bu solitaire.

Man Goul lui dit tout, sans trop comprendre l'émoi de notre homme. Oui elle a tel âge, non elle n'est pas mariée, elle vend des sucreries aux enfants de l'école Perrinon durant la récréation, oui elle a logé chez moi il y a longtemps, maintenant elle vit seule, seule, oui seule, tu ne comprends pas *seule*?... De Morne-aux-Gueules, elle vient de Morne-aux-Gueules... Voyant Pipi en dialogue avec l'immortelle, nous nous rapprochâmes :
– Il faut savoir la fabuleuse histoire de son père, disait Man Goul...

(*Quart de mot sur le père d'Anastase.* Son père et son grand-père venaient de l'Inde. Chassés de Pondichéry par la famine, ils s'étaient engagés par contrat à travailler pour un béké d'ici, demandeur de main-d'œuvre pour les cannes : depuis l'abolition de l'esclavage ces salauds de nègres fuyaient le travail en général, et les champs en particulier. Le grand-père avait voyagé en cale et débarqué sur la grand-place de Saint-Pierre devant les services de l'immigration où, assis entre les flaques de la dernière pluie, il avait attendu la régularisation de ses papiers avant de s'embarquer dans la charrette du béké. Ce dernier l'avait choisi et, comme pour cinq ou six autres, lui avait fait signer d'une croix son entrée en enfer.

Celui qui allait être le grand-père d'Anastase n'avait plus que son fils. La mère avait été piétinée à mort dans une rue de Calcutta lors d'une distribution de vivres anglais. Il mit deux ans à comprendre la nature du contrat en question : on l'avait parqué dans une ancienne case d'esclave, en bordure du champ de cannes où il s'escrimait d'un bout à l'autre du soleil, sous les quolibets de nègres désœuvrés; les quelques sous de sa paye s'étaient vus remplacés par des lanières de morue séchée et beaucoup de tafia. Au terme du contrat, il voulut là même regagner sa terre natale, parée alors de toutes les beautés. Le béké l'enchaîna avec deux ou trois autres candidats au retour, dans l'infirmerie rendue obligatoire par les services de l'immigration, et qui, en cette circonstance comme en d'autres, se voyait transformée en cachot suffisamment épouvantable pour inspirer la signature d'un nouveau contrat. Les gendarmes-à-cheval se chargeaient ensuite de le faire respecter. Le futur grand-père signa tout ce que l'on voulut quand, au bout de six jours, il s'aperçut que ses fers lui rongeaient déjà l'os de la cheville. Renvoyé au champ, il retrouva son fils incorporé dans les petites bandes qui creusaient les canaux d'irrigation, et surtout le béké qui, de blanc vêtu, inspectait le travail du haut de son cheval. S'approchant d'un pas naturel, il zébra la cuisse de son patron de six coups de coutelas, et ouvrit du septième la tête du géreur qui se précipitait. Les gendarmes-à-cheval traquèrent le meurtrier dans les champs et, à l'aube du troisième jour, l'abattirent sans sommations comme il était d'usage à l'époque envers les coulis turbulents.

Pénétré du *Ich tig paka fèt san zong* (Les petits du tigre ne naissent pas sans griffes) que proférait la sagesse, le béké, désormais boiteux, rendit immédiatement l'enfant de l'assassin aux bons soins des services de l'immigration. Aucun béké du coin ne voulant embaucher cette graine de rebelle, il fut confié au curé de Trinité après avis du juge. Le curé l'employa à l'entretien d'un hectare de bonne terre (dons mystérieux de moribonds), où il cultivait un tabac douteux. Si l'enfant donna entière satisfaction à l'abbé qui lui apprit, entre autres, un mâchouillement de latin et le lire et écrire, l'adolescent par contre (appelé Kouli, car nul ne savait son nom) infligea quelque angoisse au saint homme. Il avait, un jour, assisté à une rencontre de laghia (danse de combat) au quartier Brin-d'Amour, et s'était mis en tête de devenir lutteur renommé. Il passait le plus clair de son temps à se durcir les muscles et à developper la puissance de ses ruades. Bientôt, au lieu d'assurer la quête des messes dominicales, il suivit le major* du quartier dans ses défis ambulatoires aux majors de l'Anse-l'Etang, du Vert-Pré, de Lestrade, de Trou-Terre ou autres coins. C'était un nommé Lassao. Nègre colossal, oui. Danseur habile qui, au bout d'une chorégraphie digne d'une libellule, pouvait défoncer le foie de son adversaire, ou lui briser les reins en travers d'un genou replié. Kouli en fit son idole et ne rata aucun de ses combats.

* Sorte de héros de quartier. Chaque quartier avait le sien.

Les gendarmes avaient fait du monde du laghia un monde clandestin, mais les grands maîtres étaient connus de tous par des circuits qui déroutaient la maréchaussée. La réputation de Lassao dépassa bientôt les faubourgs de Trinité pour atteindre le Centre. Les majors de Pelletier, de la Bélème, ceux de Balata, de Long-Bois, de la Duchêne, connurent son coup de pied impardonnable. Et à la pointe Figuier, un nommé Fidèle dont on parlait à voix basse fut tué net – jou malê pani pwan gad (pas de mise en garde pour les jours de malheur).

En approchant du Sud, la réputation de Lassao buta contre celle de Zouti, major de l'anse Carétan, qui montait. Zouti était un chabin noueux comme une canne d'avant-l'heure. Sa danse n'avait pas la puissance de celle de Lassao, mais ses muscles avaient la dureté du bois-baume. Sa gloire provenait de la vivacité avec laquelle il contournait son adversaire pour lui décrocher la colonne vertébrale d'un seul coup de talon. De Sainte-Anne à Grand-Rivière, on ne parla plus que de leur rencontre inévitable. Retardée mille et mille fois par les rondes policières, elle eut lieu enfin à la Mancelle, dans les environs du Marin, en présence d'une centaine de bienheureux.

Lassao fut le premier sur place, accompagné de ses deux tambouyés, ses hommes à tibwa, et des sept délégués porteurs des paris de son quartier. Il rampa durant quelques minutes, parlant à voix basse à la terre, la tâtant, la goûtant parfois, pour déterminer le lieu exact de la bataille. Il le trouva bientôt et frappa du talon un point qui devint immédiatement le centre d'un cercle de spectateurs, tandis que s'élevaient les voix et les tambours. Quand Zouti apparut accompagné des siens, Lassao commença sans le regarder une ronde de défi. Elle électrisa le major de l'anse Carétan. Il se signa, balança son bakoua, se dénuda le torse et les jambes, et, sous les wop wop wop de la foule, pénétra dans le cercle où il exécuta sa ronde d'acceptation du défi. Les paroles commencèrent alors :

– Zouti mon compère, me lever c'est lever l'usine du Robert, et si tu lèves l'usine du Robert, que vont devenir tes graines, je te demande ?

– Laisse mes graines tranquilles et protège tes yeux, Lassao, car je vais tirer – et Zouti lança son attaque.

Un conteur du Marin dit à ses veillées que, dans la poussée des chœurs et des tambours, le premier coup de Zouti zébra l'air et le déséquilibra. Il fut alors saisi à la taille, tourneboulé, puis brisé comme une bûchette sur le genou plié de Lassao. La compagnie jure avoir entendu la dislocation de son dos tandis que les tambouyés de Lassao entonnaient la victoire. Sainte mère de Dieu, on vit alors une chose incroyable : Zouti, que l'on s'attendait à voir gigoter comme un ver sur la terre labourée, se releva promptement. INDEMNE. Plus frais et agile qu'à l'orée du combat, il entama une nouvelle ronde de défi autour de son adversaire. L'on sut ainsi qu'il était *monté* : la terre, par un vieux pacte, lui communiquait sa puissance à chaque toucher du sol. Lassao en perdit ses moyens. Zouti, vif comme un poisson, le contourna et, après le plus beau pas déchassé de ce monde du laghia, manman, lui porta ce coup de talon définitif qui devait étendre son éphémère renommée jusqu'à la Désirade et faire de Lassao, touché à la colonne vertébrale, un infirme que des amis compatissants précipitèrent du haut d'une falaise du Lorrain en manière de service, voilà.

Lassao abattu, Kouli en colère demanda voix aux répondeurs, tambour aux tambouyés, et entama dans l'incrédulité générale une ronde de défi. Zouti offensé s'efforçait au calme : Anpaka goumen épi i-anmay (Je n'affronte pas les enfants), grinçait-il. Mais il lui fut bientôt impossible d'ignorer l'outrage. Secouant la tête avec mépris et compassion, il entra dans le cercle. Les paris firent rage, mais personne ne misa sur Kouli. Sûr de sa victoire, Zouti ne soigna nullement ses passes et jugea inutile d'utiliser sa volte imparable. Plus expérimenté, il réussit sur Kouli cinq levés-renversés successifs, si bien que ce dernier se mit bientôt à tituber. Zouti, grand seigneur, souriait aux belles et se donnait en spectacle. C'est alors que Kouli, mains dans le dos, entonna ce chant qui ne tarderait pas à devenir célèbre :

> *Hé Mérilo hé Mérilo*
> *Saki vayan lévé lanmin*
> *Saki vayan tombé si mwen*...*

En clair, il renouvelait le défi et demandait à Zouti de se battre vraiment. L'avertissement lancé, Kouli se pencha de côté, élabora des pas tout à fait nouveaux, futurs classiques des passes de laghia. Zouti, intrigué, redressa légèrement son buste pour mieux voir. Cela lui découvrit légèrement le ventre et suffit pour qu'un doublé-pieds lui détruise le foie. Les gendarmes découvrirent son cadavre le lendemain, juste sous la

---

* Voir, en annexe, l'intégralité de la chanson.

croix d'un carrefour où une marée mystérieuse ramène encore les victimes du laghia clandestin.

La réputation de Kouli se répandit comme une couvée de mangoustes fuyant un du-feu de cannes. Les jeunes dogues affluèrent, mais Kouli fut invincible. Quand on le voyait se croiser les mains dans le dos, chanter Hé Mérilo, sortir les pas que tout major qui se respecte porte aujourd'hui en dessin sur le cœur, on plaignait simplement l'adversaire. Le nouveau maître ne se laissait pas griser par le succès. Son amour pour cette danse était si profond qu'il l'exécutait avec une concentration extrême, et devenait à chaque combat une vibration charnelle, belle et meurtrière comme une annonce d'abeilles. Avec les victoires et la renommée, vinrent les femmes. Chaque dimanche, Kouli en charroyait une dans les raziés. Ainsi, celui qui allait être le père d'Anastase se rendit à Morne-aux-Gueules, défier un major de réputation naissante. Le laghia dura une heure au bout de laquelle le major en question n'était plus qu'une loque à frotter au rhum camphré. Comme le voulait la coutume, Kouli campa dans le quartier, signifiant que Morne-aux-Gueules intégrait désormais le territoire de son laghia. Le quartier lui fit fête... Kouli régnait sur l'assemblée, une touffe de femmes remplissait d'envies frémissantes chaque millimètre de son ombre. C'est ce soir-là, dit Man Goul, qu'un vieux nègre, ancien marron, lui modifia son destin.

Ce vieux nègre s'appelait Hep-là. Il vivait seul dans une minuscule case de Morne-aux-Gueules, nourri d'écrevisses et d'ignames sauvages. Hep-là réclama le silence et, s'adressant à Kouli, maître de la soirée, il

conta l'histoire de Ti-Boute le colibri d'une manière
nouvelle qui captiva l'auditoire.

« Messieurs et dames bonsoir, Kouli la
parole est pour toi, colibri était le plus
gros oiseau de ce côté-ci de la merveille,
or malédiction l'a rendu si petit que parfois les battements de son cœur le font
exploser é krii, il avait papa, il avait
manman, il avait le manger et son
compte de tendresse tous les jours é
kraaa, colibri vivait bien grâce à ses
parents, ces gibiers d'amour furent abat-
tus pourtant le jour même de la trêve de
la Toussaint où les morts demandent
paix, par un chasseur sans religion é kriii,
colibri jura sous le contrôle des merles de
venger le sang de son père, de venger le
sang de sa mère é kraaa, mais le chasseur
sans religion était aussi magicien et pour
ne pas devoir vivre en inquiétude, il jeta
sur colibri la malédiction qui le rendit
aussi petit et inoffensif que la feuille du
tamarin é kriii, que fit colibri je te
demande, sinon de se faire pousser, avec
une patience de mille ans, le plus long et
le plus pointu des becs, un bec capable de
percer le cœur du chasseur sans religion
et de lui rendre final la monnaie de son
crime éékraaa, mais que fit colibri ? que
firent cet ingrat et toute sa descendance ?
ce fils sans respect ? il n'utilisa son bec
que pour se soûler plus à l'aise dans le
tafia des hibiscus : à force d'écouter pousser son bec il avait oublié le pourquoi du

106

pousser éékrii, voyant le peu qu'il faisait de sa vie, les merles pour le punir, l'effrayèrent au sortir d'une fleur, le saut de son cœur boudoum boum le fit exploser, c'est pourquoi messieurs et dames c'est fini, on voit aujourd'hui de temps en temps, exploser dans les fleurs un colibri qui sursaute, Kouli la parole était pour toi!... »

Si personne ne comprit ce soir-là le vrai sens des paroles du vieux nègre, Kouli par contre fut touché en un mitan secret. Titubant, il quitta l'espace des flambeaux pour s'abattre dans les raziés où vint le rejoindre une câpresse silencieuse, foudroyée par l'amour, qu'il koka toute la nuit avec une rage mystérieuse, et abandonna sans un regard quand à l'aube il quitta le quartier. La câpresse se criait Féfée Célie. Neuf mois plus tard, elle donnait le jour à Anastase.

Il est dit que Kouli avait eu la tête déréglée depuis son combat à Morne-aux-Gueules. Il ne souriait plus, s'irritait pour un rien, répétait souvent que son cœur ne le ferait pas exploser, car je ne suis pas un colibri oublieux moi, et j'ai pas oublié que les gendarmes ont abattu mon papa comme un chien enragé... On le vit rôder près des postes de gendarmerie, toisant les gendarmes avec des yeux de mancenillier. Ces derniers s'en inquiétèrent :

– Mais qu'est-ce qu'il nous veut, ce dingue ?

Un jour, l'un d'eux descendit de cheval et saisit Kouli par le col, tu vas m'expliquer ton manège, avant de recevoir ce magistral coup de laghia qui lui enfonça dans le ventre la boucle de son ceinturon.

L'éventration de l'homme d'armes provoqua une telle agitation que Kouli parvint à s'enfuir. Réfugié dans les bois, nourri et protégé par tous, il échappa longtemps à la vindicte des gendarmes qui ne se déplaçaient plus que par groupes de cinq, pâles d'inquiétude au-dessus de leurs chevaux bruyants. Les lèvres un peu plus fines, ils patrouillaient entre les cases et les champs, mitraillant le vent dans les touffes de cannes ou les frémissements d'oiseaux dans les creux de fougères. Kouli devint un bout de légende. Quand un gendarme se tordait le pied, c'était Kouli. Quand un autre glissait de cheval, c'était Kouli. Ce fut encore la faute à Kouli quand ces deux adjudants, amoureux fous d'une mulâtresse, dégainèrent en même temps pour s'asperger mutuellement de leur cervelle.

Celui qui était déjà le père d'Anastase acquit bientôt une confiance aveugle en lui-même et marcha sur les routes en plein soleil, traversa ouvertement les champs. Le salut à la main pour les coupeurs de cannes, il expédiait des baisers aux amarreuses. Un jour même, il parut à midi sur le marché de Saint-Pierre, buvant d'une gorge tranquille deux cocos offerts. Une autre heure, il surgit au pitt de Démarre, et assista sans regarder derrière lui à deux combats de coqs. On le vit même à la fête nautique du Robert où il riait aux éclats en suçant des sorbets. Et pour finir, car le destin met toujours un milieu et un bout, il s'habitua à passer quelques heures de ses dimanches dans son quartier à Morne-Poirier, où il prenait plaisir à retrouver ses femmes, à tirer les dés d'un serbi avec ses camarades jusqu'à une heure de lune, et où, final, une nuée de gendarmes lui tomba dessus, criblant de balles la table, les dés, le flambeau, les dames-jeannes de tafia, une des femmes, trois des amis et Kouli lui-même. *C'était le quart de mot.*)

Malgré les protestations de Pipi, nous suppliâmes Man Goul de nous redire, et de nous redire encore l'histoire de Kouli. La vieille s'exécuta à trois reprises, dans les versions légèrement différentes que lui fournissait sa mémoire fatiguée. Pipi protestait : Et la manman d'Anastase? la manman d'Anastase qu'est-ce qu'elle est devenue?...

– Quoi? Féfée? grinçait Man Goul. Elle a accouché...

– Mais après?..., implorait le roi.

Après après après après après cette naissance surprit toute la maisonnée, à commencer par Ti-Choute la mère de Féfée, négresse que la misère avait chiffonnée avant l'heure.

– Hébin ma fi, hébin hébin hébin c'est pour ça que ton ventre était gros comme ça hébin hébin hébin...

Mais, attendrie par le nouveau-né, Ti-Choute le plaqua contre sa poitrine et le trimbala désormais partout avec elle, au champ, au marché, et même à la rivière les jours de lessive, où elle le câlinait en attendant que les draps aient leur compte d'embellie. Les choses se déroulèrent moins bien avec Isidore Célie, le père :

– C'est un mauvais exemple que tu as donné à tes frères et sœurs, hurlait-il à chaque cuillerée de sa soupe grasse – avec une telle régularité que les cuillers des douze enfants restaient en suspens quand, entre deux lampées, il avait gardé le silence.

Bien qu'il n'eût jamais demandé à Féfée, ni à quiconque, l'identité du père, Isidore Célie sortit un jour son habit de coton bleu et ses chaussures vernies. Il enveloppa dans un torchon son coutelas soigneusement aiguisé et, saisissant Féfée par une aile, ordonna à Ti-Choute de porter l'enfant car on va demander à Monsieur Kouli ses intentions là même. L'étrange équipage parvint en bout de journée à Morne-Poirier, quartier des environs de Trinité, où habitait Kouli que les gendarmes venaient d'abattre d'une trentaine de balles. Perdus dans la foule qui cernait le cadavre, Isidore Célie, Féfée, Ti-Choute étaient désemparés.

– Ça devait arriver, disaient les uns et les autres, on ne fait pas du laghia contre les fusils des gendarmes...

Le cabrouet du dispensaire emporta la dépouille de Kouli. Isidore Célie, Ti-Choute et Féfée reprirent le chemin de leur caye, à travers les mêmes passes mais avec moins d'allure, non parce que bouleversés par la tragédie (les exploits des gendarmes assassins n'étaient rien à force d'être fréquents) mais parce que Isidore Célie sentait germer l'idée folle qui devait lui amener un destin d'imbécile définitif mort dans du barbelé, provoquer le départ d'Anastase pour Fort-de-France et, final, ravager d'amour le cœur de Pipi notre compère. Au début, il ne la livra à personne sur terre. On sentait bien qu'il mijotait quelque chose. Ses silences lui donnaient un air de mangouste, et une attention toute nouvelle le portait vers sa petite-fille : Esse qu'Anastase a bien mangé aujourd'hui? pourquoi Anastase pleure? holà on dirait qu'Anastase tousse?... Ti-Choute et Féfée appliquaient un cataplasme sur la patte blessée d'un coq quand Isidore Célie s'approcha. Après avoir balancé d'hésitation comme un rameau des Innocents, il déclara être sûr désormais qu'Anastase avait tout hérité de Kouli : Et vous pouvez me croire car c'est la vérité, elle va être la première femme de laghia du pays, on n'aura jamais vu ça... (Eh oui, mésié-zé-dames, voilà comment débute incidemment le malheur des gens.)

Isidore Célie entoura l'enfance d'Anastase d'une attention possessive. Il s'extasiait du moindre développement de l'enfant, du plus anodin de ses mouvements de pied où il décelait toujours une ruade de laghia. Sitôt qu'elle put marcher, il entreprit de l'initier aux pas de la danse guerrière, ce qui plongeait Ti-Choute dans un désespoir agressif car, pour payer les tambouyés qu'il convoquait à l'entraînement d'Anastase, Isidore Célie dilapidait les petits paquets de sous cachés dans divers coins de la case en prévision des jours de déveine. Les tambouyés choisis étaient deux bougres du quartier, généralement utilisés par les majors de seconde zone pour des combats indignes. Leur science du tambour s'arrêtait justement à l'orée du tambour, et si le désordre sans âme qu'ils sortaient de leurs fûts convenait aux soirées des touristes américains, aucun maître de laghia ne l'aurait utilisé lors d'une mise en jeu de sa vie. Mais Isidore Célie n'avait trouvé qu'eux. Chaque samedi ils syncopèrent le quartier d'un ouélélé sans tête. Isidore Célie, tenant les mains d'Anastase, lui indiquait des pas de laghia auxquels la fillette ne comprenait rien.

Soumise à ce régime intensif, la fillette acquit au fil des sueurs les pas de base du laghia, mais sans y ajouter la moindre inspiration. Pourtant, la voir exécuter si correctement les phases de la danse guerrière était un spectacle qui drainait la populace des quartiers environnants, à tel point qu'Isidore Célie (jouet de la fatalité, oui) dut s'acheter à crédit un rouleau de

111

fils barbelés et protéger d'une clôture agressive l'entraînement d'Anastase. On ne put désormais y accéder qu'au prix d'un sou. Cet argent servit à la paie des tambouyés maintenant gras et florissants, eux connus de tout temps quémandeurs de pain aux chiens et aux touristes. Il y eut chaque samedi en direction de la maison Célie des processions bruyantes et curieuses, auxquelles Ti-Choute et Féfée vendaient des sucreries : l'on commençait à penser qu'Isidore Célie était intelligent.

La petite Anastase prenait goût à ce vedettariat intempestif. La popularité l'accompagnait à chaque pas hors de son quartier et jusqu'aux bancs de l'école qu'elle abandonna dès seize ans, sur les instances d'Isidore Célie. Il lui avait signifié l'inutilité de ces histoires de sapins, de neige, de trains qui partent en retard pour arriver à l'heure, alors tu vas laisser tomber ces couillonnades-là et venir répéter ce que tu n'as pas compris samedi dernier... Mais alors que tout le monde prenait goût à ce sirop de la vie, Isidore annonça la suite de ses intentions – ce qui vous prouvera, jeunesses ignorantes de la vie, que les idioties sont les seules cueillettes possibles en toutes saisons dans la tête des hommes, nous précisa Man Goul.

Un vendredi, Isidore Célie quitta la maison sans dire où il allait. Avant midi, il parvint au quartier Fond-Moustique, lieu de résidence du nommé Siloce, géant simplet à qui une grâce singulière avait accordé le don du laghia. A la mort de Kouli il était devenu le maître incontesté de la danse guerrière. Sa force démesurée lui permettait d'écrabouiller ses adversaires. Siloce était pourtant très doux. Avec la lenteur des grandes feuilles et la bonté des imbéciles, il souriait tout le temps à des anges qui l'amusaient. Son petit cerveau, incapable d'abriter deux idées à la fois, en oubliait tout simplement celle de la méchanceté. Mais, dans les combats, aux premiers coups portés par son adversaire, le petit cerveau chauffait comme un solex dans un morne, et libérait une violence irréversible que personne ne s'avisait d'aller contrarier. Et l'on assistait, horrifié, à la dislocation sauvage du danseur adverse, jusqu'à ce que le monstre, après des tressaillements, récupère sa béatitude souriante.

Entouré de l'habituel aréopage d'hommes et de femmes qui parasitent les grands maîtres du laghia, Siloce mangeait un dongrés dans la cour ensoleillée de sa case. Isidore Célie écarta le bambou de l'entrée et se campa devant le groupe devenu silencieux. Le géant continua d'engloutir ses boulettes de dongrés, paisible et massif comme un crapaud sous une pluie fine. Isidore Célie ôta son chapeau au ruban de velours bleu pour lancer : Messieurs et dames la compagnie bonjour, Siloce c'est pour toi que je suis là, moi Isidore Célie, fils de Balthazar Célie et d'Epiphanie la malheureuse, dernier représentant de Kouli sur terre... Siloce s'essuya la bouche avant d'engloutir une demi-dame-jeanne de tafia, et déclarer de la voix castrée des géants : Bonjour, Monsieur Célie, Kouli c'était quelle personne à toi ?

– C'était le papa de ma petite-fille, Anastase, qui danse mieux le laghia que toi et peut te renverser là même...

Cette déclaration provoqua l'immense éclat de rire qui, désormais intarissable, devait poursuivre Isidore Célie jusqu'à sa tombe de barbelés. Siloce, tordu sous la table, renversait dames-jeannes, canaris, et tressautait de rire. Ses parasites en faisaient de même. Isidore Célie, stoïque et hautain, attendit que cela se passe. Il mit deux heures avant d'en percevoir le caractère inextinguible et, terrible, lança son défi : Siloce, ma petite-fille va te péter le foie, elle t'attend pour dimanche prochain devant chez moi, quartier Morne-aux-Gueules!...

– Kra kra kra j'y serai, s'étrangla Siloce.

La nouvelle se répandit comme les vingt mille mangoustes des champs de cannes à l'époque des brûlis. La rigolade cerna la maison Célie. Les gens accourus aux renseignements ne pouvaient plus repartir : l'allégresse les tordait comme des nattes de lianes. Ti-Choute et Féfée apprirent la nouvelle par la foule en délire qui se pressa soudainement autour de la case, avant même le retour d'Isidore Célie. Leur incrédulité ne disparut qu'à l'arrivée de ce dernier, plus fermé et gris qu'un coquillage-soudon en panier. Tout était vrai, bon Dieu Seigneur! Féfée, incapable de proférer le moindre son, serrait Anastase contre elle. Lourdement assise dans un coin, Ti-Choute respirait par la bouche pour ne pas étouffer. Des processions hilares défilaient devant la maison. Isidore, assis à l'entrée, se mit à recueillir les paris... Bien entendu, on ne donnait pas cher de la vie d'Anastase, frêle jeune fille, douce liane des bois, face à l'énormité meurtrière de Siloce. On pariait sur le géant avec d'autant plus d'empressement qu'Isidore Célie clamait la mise de toute sa fortune sur la victoire de sa petite-fille. Les kra kra kra et les processions, les paris et les enregistrements, durèrent les deux jours précédant le dimanche fatidique. A mesure que l'échéance se rapprochait, Féfée sombrait dans la torpeur des

114

fleurs mal arrosées. Les yeux brillants d'avidité devant les paquets de sous engrangés, Ti-Choute pleurait tout de même, ce qui lui donnait un curieux visage. Anastase se savait le centre de ce remue-ménage et en tirait une fierté enfantine : elle ignorait tout de son adversaire. Ce soir-là veille du jour fatal, on mangea tôt et Isidore ordonna un coucher de bonne heure...

Isidore Célie se réveilla à l'aube du fameux dimanche. Des dizaines de spectateurs se pressaient déjà contre les barbelés. Derrière eux la campagne bruissait de l'avancée des foules. Isidore activa ses tambouyés : Commencez à vous réchauffer, les répondeurs sont là?... Bon... Bientôt une multitude hilare engloutit les abords de la case. Isidore Célie courait dans tous les sens aidé de ses douze enfants, il vérifiait tout, fébrile, de plus en plus agacé par les kra kra kra et les quolibets. Tout à coup, l'immense rire s'étrangla, et une rumeur au galop annonça dans la masse l'arrivée de Siloce. Plus monstrueux que jamais, de blanc vêtu, tranquille et débonnaire, suivi à distance respectueuse par ses tambouyés, ses répondeurs, ses gens de tibwa et l'habituelle rafale de parasites, le géant fit son apparition. Une liesse transporta la foule, faisant chanceler Isidore Célie. Siloce se planta devant les tambouyés attitrés d'Anastase. Déchiffrant le regard du géant, ces derniers stoppèrent leur cacophonie et disparurent parmi les spectateurs. Les tambouyés de Siloce, authentiques virtuoses des tambours-ka, prirent la relève, soulevant l'un des plus beaux saluts de tambours à l'ouverture d'un laghia. Le géant attendit que ses répondeurs eussent décapé leur gorge dans quelques voix pour rien, et, ôtant chemise, retroussant pantalon, gloussant d'aise, commença une sacrée merveille de ronde de défi, avec tout bonnement un envoi de beauté sur la beauté et, sans arrêt, de joli derrière le joli. Subjuguée, la foule se tut. Quelques secondes plus tard, elle explosa d'un formidable kra kra kra à la vue d'Isidore Célie : cheveux blanchis, hébété, l'infortuné sortait de sa case comme un crabe sans pinces. Marchant sans chemin, il alla finalement s'abattre dans une natte de barbelés. Il venait de percevoir, pensait la foule, le ridicule de sa prétention à la vue de l'incomparable défi de Siloce. On riait à pleines dents sans se douter qu'il avait simplement découvert la disparition de Ti-Choute, de Féfée et d'Anastase : parties depuis minuit, elles n'avaient pas donné la longueur de leurs chaînes, aux dires des enfants.

D'après la parole, jamais nègres n'ont autant ri que ce jour où Isidore Célie, entortillé dans du fil barbelé, vit s'écrouler le seul rêve ramené du fond de sa misère. Il mourut là comme ça, en bougie Saint-Antoine qui doucement avale sa flamme. La foule déchaînée ne s'aperçut de rien. C'est pourquoi Siloce s'adressa à un mort quand, personne ne relevant le défi, il donna le signal du départ, et déclara au corps prisonnier des barbelés : Isidore, tu es un couillon définitif... Les gendarmes découvrirent le macchabée et tentèrent vainement de l'arracher au nœud de barbelés. On amena des pinces coupantes, des scies à métaux, des forgerons d'expérience et même un abbé exorciste : rien ne sut vaincre la malédiction, c'est pourquoi Isidore Célie dut emporter dans la tombe une guirlande de barbelés soudée à sa dépouille. Cela troubla le cimetière de la bouffée de rires des morts non respectées.

Ti-Choute et Féfée avaient réveillé Anastase en pleine nuit : Allez ouvre tes yeux vite on part... Ayant finalement appris l'identité de son adversaire, elle accepta sans questions de s'habiller, de rassembler ses quelques hardes dans un baluchon et de s'enfoncer dans le pays de la nuit. Elles marchèrent en silence jusqu'à la grand-route, où elles se mirent à l'espère de l'aube puis du premier taxi pour Fort-de-France.

Elles débarquèrent chez moi, Man Goul, vieille amie de Ti-Choute, vers les onze heures du matin. Me laissant Anastase, elles reprirent la route pour Morne-aux-Gueules où Isidore avait déjà achevé son agonie barbelée. Une mauvaise qualité de désespoir les prit pour camarades dès l'annonce de cette mort. Rongée de remords, Ti-Choute arbora une couronne de barbelés. Féfée, s'estimant aussi confusément coupable, n'apparut désormais au plein jour que revêtue du drap blanc des mea culpa où l'on ne distingue que la fièvre du regard. Ce comportement jeta dans le quartier une folle inquiétude. Bientôt, un anneau de silence entoura la case Célie, confinant les deux femmes dans une inviolable solitude. Une assistante sociale s'empara des douze enfants qui disparurent dans les labyrinthes de l'Assistance publique. Ti-Choute et Féfée sont encore dans cette case, ou elles n'y sont plus, c'est possible, mais sachez, vous djobeurs sans soucis, qu'à Morne-aux-Gueules se trouve une case gelée malgré le soleil. Quant à Anastase, le monde de ce morne l'oublia...

L'immortelle avait réussi à nous étreindre d'une vague angoisse. Maintenant, elle savourait son effet, yeux mi-clos, front rejeté en arrière. Quelles broussailles de rides!... Elle avait conservé les habits de l'époque lointaine, celle du travail dans les champs de cannes, et ne portait de chaussures qu'à la messe du dimanche. Autour de son éternité, le marché s'était construit et la ville s'était modifiée. Elle avait vu disparaître les chevaux, les charrettes, les élevages de porcs traqués par le nouveau service municipal d'hygiène. Elle avait vu reculer la terre battue des trottoirs, les vieilles maisons en bois du Nord, aux persiennes poussiéreuses et aux balcons fleuris. L'ancienne ville s'était dissoute sur l'asphalte.

– Maintenant, roulez! ordonna-t-elle.

Nous obéîmes, déjà oublieux d'Anastase et de la mine égarée de Pipi. Or, un dimanche après-midi, notre homme mit sa chemise de nylon blanc, son pantalon de tergal gris, ses santiagos et un petit chapeau de paille. Il se rendit chez Man Goul, patienta en compagnie de Bidjoule jusqu'à ce que la vieille revienne d'une messe, et lui dit tout bonnement : Emmène-moi chez Anastase... A son âge, l'immortelle ne se posait plus tellement de questions. Elle accompagna notre maître des brouettes dans la petite case des Terres-Sainville où vivait l'échappée. La merveilleuse les reçut gentiment, leur offrit du Noilly-Prat et quelques sucreries, et leur parla de la vie comme on en parle à l'ordinaire. Assis en face d'elle, Pipi sombrait dans un vertige et souriait niaisement. Man Goul, commençant à comprendre, brusqua quelque peu les choses, car à mon âge Pipi le temps n'est plus à perdre, alors dis ce que tu as à dire... Toujours en vertiges et en sourires, Pipi fixait les yeux tristes de la belle, ses sourcils luisants, les bleus différents de sa longue chevelure. Oh, pour lui, elle avait la fraîcheur des fontaines à l'heure du roussi des carêmes. Sa voix était une mélodie. Ses gestes,

118

toutes les caresses imaginables. Il n'avait plus qu'un désir : fondre en elle et ne plus exister. Son désarroi ruina la belle déclaration si longuement préparée, il ne put que gémir :

– ... marier...

– Hébin ? s'étonna Man Goul. C'est comme ça qu'on dit ça à présent ?...

Anastase, amusée, tapota les joues du soupirant, et déclara que son cœur était pris...

– Ki pi ésa ? Y'a pas d'homme dans ta maison, protesta Pipi.

– Je l'attends, il passe de temps en temps...

Elle venait de confier à notre homme la douleur de sa vie, mais c'est Man Goul qui, durant le retour, lui en donna le détail : écoutez, l'amour ici-là va cueillir une jeune âme...

L'arrivée d'Anastase, rescapée de Morne-aux-Gueules, avait ranimé la vieille. Elle perdit un grand panier de lassitudes et ramena d'un trou perdu de sa tête des rires et des sourires. Chaque jour, tendre comme un cœur de coco, elle murmurait à Anastase en l'embrassant : Iche mwen (mon enfant), tu es ici chez toi-même... Pour vivre, Man Goul vendait à cette époque des rondelles de pommes de terre frites dans de l'huile de colza. La vieille passait sa journée à guetter quatre chaudrons huileux, tandis qu'Anastase débitait les pommes de terre. Le soir, elles s'habillaient de frais. Man Goul enfilait une longue robe à manches et un jupon empesé, lustré au fer chaud. Portant chacune un panier de frites, elles effectuaient à travers le centre-ville un circuit immuable auquel s'initiait Anastase. Man Goul savait d'avance où s'arrêter pour vendre un sachet de frites, et n'oubliait pas un seul des bars où il fallait récupérer l'argent des dépôts de la veille, avant de les renouveler. Quand elles parvenaient sur la Savane, le ciel violet s'animait de lucioles. Les couples prenaient le frais sous les tamariniers. Les enfants répandus entre les plateaux des vendeuses de pistaches renouaient avec la liberté dans des zouelles échevelés. Man Goul et Anastase erraient lentement sur la grande esplanade, humant l'iode de la mer proche, vendant leurs frites à des jeunes filles en rêve de passion, cœur ouvert autour du kiosque.

La vie distribua ainsi ses jours aux deux femmes, sans trop d'éclat, sans trop de misères, entre la voix nasillarde de Chine le Chinois fournisseur des sacs de pommes de terre et le sourire des clients fidèles. Anastase oublia Morne-aux-Gueules, Féfée, Ti-Choute et tous les autres. Elle assuma pleinement sa nouvelle vie de vendeuse de frites, avec l'application des jeunesses solitaires. Bientôt, elle devint une belle jeune fille à tétés, avec juste ce qu'il faut de frémissements sous la peau pour que l'amour, toujours à l'appel, lui assène son habituelle calotte de sirop et de douleur, bien connue de nous tous.

Man Goul souffrant des reins, Anastase s'en allait parfois vendre seule. Elle avait adopté le rythme de Man Goul, ses pas courts et pesants, son allure de tortue de la Barbade, et même, un peu, sa silhouette courbe de cocotier sous le vent. Les jeunes gens, déroutés par cette jolie fleur à la démarche de sorcière, ne lui parlaient pas d'amour, de bal ou de promenades, ni ne remarquaient le balancement de ses hanches. L'exception à la règle fut commise ce soir-là par un mulâtre à peau claire, aux cheveux bouclés et soyeux, avec, ce qui ne gâchait rien, des yeux limpi-

des qui prenaient le vert sombre des grandes dames-
jeannes les jours de pluie : Zozor Alcide-Victor.

Messieurs et dames, Zozor Alcide-Victor était le
produit des amours clandestines d'un Syrien et de sa
servante. Quand la communauté syrienne apprit
qu'un de ses membres menait une vie avec une
négresse, elle lui lança une mise en garde solennelle
lors d'une de ses réunions autour du monstrueux
radiorécepteur qui lui transmettait des émissions en
arabe. L'on menaça celui qui venait d'être le père de
Zozor Alcide-Victor d'une mise en quarantaine sévère
qui le forcerait à solder son stock et à fermer boutique. Le père de Zozor Alcide-Victor, malade d'épouvante, se précipita chez celle à qui d'habitude il
parlait d'amour-toujours, pour lui jouer la complainte
bien connue de nous tous, celle qui dit : Non, il ne
pourra pas porter mon nom, mais je ne l'oublierai pas
sois-en certaine, je suis son père, et qu'Allah me
terrasse si jamais je l'oublie. Après un an de solitude,
sustentée d'amertume et d'aide sociale, prenant toute
la mesure de l'indifférence d'Allah, la mère de Zozor
Alcide-Victor dut confier à une bouteille d'acide et à
une paire de ciseaux le soin de rappeler le père
indigne sinon à ses devoirs, du moins à ses promesses. Devant les blessures et les larges brûlures de son
membre obéissant, la communauté syrienne se mit à
réfléchir autour de la fabuleuse radio, et trouva
comme toujours une solution à ce problème qui
risquait d'attirer les feux de l'actualité sur son existence discrète et prospère. Ainsi, dès le berceau,
Zozor Alcide-Victor, à défaut de père, se vit doté d'un
magazin de toile placé près du marché, entre le *Chez
Chinotte* et Chine le Chinois. Cette aubaine lui permit
d'utiliser ses années d'école obligatoire à ronfler près

de son encrier, hors d'atteinte des merveilles de la culture française, sans que cela n'en fît un demandeur de pain aux chiens. Avec l'accès direct aux revenus de son magasin placé sous gérance, il entama cette vie tapageuse, licencieuse même, source du malheur sentimental de mille huit cent sept négresses, quatre cents chabines, six cent cinquante mulâtresses, deux Chinoises, et tout un régiment de câpresses, de quarterons, d'albinos et d'échappées-coulies. Il était déjà tristement célèbre quand il quitta les abords du kiosque où il prenait le frais, pour s'avancer vers Anastase de sa démarche étudiée.

Zozor Alcide-Victor lui acheta d'un coup tout le panier de frites qu'il distribua aux enfants d'une main impériale. Il lui dit deux mots, quatre paroles. Il lui tint compagnie sur environ cinq cents mètres. Enfin, à l'issue d'une volte gracieuse, il se désola de devoir prendre congé si vite mais nous nous reverrons certainement. Le tout avait été effectué avec tant d'aisance, tant d'aplomb, de sourires, d'intonations, de frôlements du bout des doigts, de regard mouillé capteur de rayon de lune, et, surtout, avec tellement de français huilé aux r, qu'Anastase se sentit toute drôle les jours suivants. Le soir, près du kiosque, quand elle constatait qu'il n'était pas en train de l'attendre, une indicible amertume la submergeait (ô jeunes filles en éveil, fleurs des matins innocents, oui vous tendres cannes avides de pousser : la récolte n'est pas un envol vers le ciel, mais un coup de coutelas, ouye méfiez-vous de l'amour!). Anastase perdit le goût de la vie. Les chaudrons ne l'amusaient plus. Les frites luisantes lui donnaient la nausée. Le bavardage de Man Goul l'ennuyait. Elle s'enfonça dans une mélancolie douceâtre et somnolente. La

122

vieille, n'y comprenant rien, la crut victime de quelque mauvais sort, et se caillait le sang. Elle se disposait à l'emploi du contre-charme adéquat quand, un soir sur la Savane, elle vit Zozor Alcide-Victor s'avancer dans leur direction et tendre une main conquérante à Anastase qui s'emmêla les jambes sous le coup de l'émotion. Man Goul comprit flap! Zozor Alcide-Victor soutenait la jeune fille en questionnant la vieille qui l'observait d'un regard pointu : Est-elle souffrante?... Le séducteur était de toute évidence certain de sa victoire, mais l'hostilité de Man Goul le força au simple achat de deux sachets de frites, à la présentation d'hommages bâclés suivis d'une preste disparition dans l'ombre du kiosque. Cette réapparition renvoya Anastase un peu plus loin dans la mélancolie. La vieille assista impuissante à la perte de son appétit, à son amaigrissement progressif et à l'apparition d'un teint de fruit tombé, rebelle aux tisanes de citronnelle. Durant ses ventes, Man Goul évita désormais la Savane. Mais son rein recommença ses chants de la vie, et elle dut se résigner à laisser partir Anastase pour une vente solitaire. Pénétrée de la sagesse qui dénie aux rivières la faculté d'emporter ce qui tient du destin, elle lui répéta sans illusion et sans force : Ne va pas sur la Savane...

Les deux premiers soirs, la jeune fille évita l'endroit. Au troisième, un dérèglement dispersa ses défenses et la dirigea vers le lieu interdit. Comme dans les pires romans-photos italiens, Zozor Alcide-Victor, beau, souriant et disponible, s'y trouvait. La voyant arriver seule et frémissante, il lui sortit son répertoire des grands jours, celui des états d'urgence et des heures d'alerte, qui lui permit en 6, 4 et 2 d'entraîner l'amoureuse sous le tamarinier où il parachevait habituellement ses séductions impromptues. Là, il lui fit découvrir des joies insoupçonnées et des douleurs étranges, il la renversa sur des vertiges inouïs, donnant au plaisir son tribut de gémissements et de larmes impossibles. Man Goul, lui voyant sur le pas de la porte cet air d'oiseau dérouté par la pluie, les yeux brumeux et le muscle flasque, sut que l'inévitable s'était produit. Elle l'accabla de paroles fielleuses. Elle la compara à ces femmes de Saint-Pierre, chairs de joie pour marins de passage. Anastase ne répondit rien. Elle demeura muette aussi les jours suivants. Fermée comme un soudon (coquillage) sur ce bonheur qu'elle venait de découvrir, elle n'accordait aucune attention au désarroi de la vieille. Après la vente, elle repartait ostensiblement vers la Savane, y passait une moitié de la nuit, en revenait plus brumeuse qu'une rue du Morne-Rouge. Un soir, Man Goul la suivit et se précipita sur Zozor Alcide-Victor qui ouvrait déjà les bras à sa nouvelle conquête.

– Espèce de isalop mal-cochon chien makak, ich Man banse et ich kône, esse que tu vas laisser ma petite-fille tranquille?

En habitué de ce genre d'agression, le séducteur y fit face calmement et sortit à Man Goul une tirade d'un français incompréhensible qui la figea sur place; puis il s'en alla tranquillement, Anastase à son bras, vers l'ombre certainement aphrodisiaque de son tamarinier habituel.

Ce déplorable épisode élargit le fossé entre les deux femmes. Elles ne se regardaient même plus. Anastase ignorait totalement la préparation des frites. Man Goul reperdit son sourire, retrouva ses rides et l'habitude des ventes solitaires. L'ambiance de la petite case devint celle d'un trou abritant deux mâles-crabes. Cela gâchait le nouveau bonheur d'Anastase au point que Zozor Alcide-Victor s'en aperçut et régla le problème, car ce n'en est pas un, il suffit de changer de maison, je t'en trouverai une... C'est ainsi qu'Anastase quitta Man Goul. Elle payait le loyer de sa petite case en vendant au bout de la rue des sucreries multicolores. A l'heure des récréations de l'école Perrinon, elle plantait son tray devant les grilles, et la marmaille dansait autour d'elle. Avec le temps, Man Goul perdit de son acrimonie. Elle visitait souvent celle qui avait été la lumière de son existence. Au début, elle lui amena casseroles, couteaux, draps. Puis elle vint pour la simple parole, la pure amitié, et s'y attarda comme redoutant le face-à-face avec sa case à nouveau terne. Elle évitait pourtant Zozor Alcide-Victor qui, pour l'instant, passait régulièrement et s'occupait de sa nouvelle conquête...

Le détail des amours de la belle ne découragea nullement Pipi. Il eut un premier temps d'espoir fou. Parfumé, il rendait de fréquentes visites à Anastase, le dimanche ou en semaine, soir ou midi. Porteur de letchis, de mangots, de corossols et autres douceurs, il se présentait sous son meilleur jour, et parvenait à lui arracher une-deux sourires. Au marché, à cette époque, Pipi se fit nuageux comme une pointe de montagne, son regard ne s'ancrait nulle part. Il demeurait souvent immobile, en proie aux songeries. Man Elo le taquinait : Eh bien, mon fi, comment s'appelle-t-elle, han?... Puis ses visites ennuyèrent Anastase. Ne souriant plus, elle refusait ses fruits, et finit par lui intimer gentiment de ne plus venir comme ça, qu'est-ce que les voisins vont penser, et si Zozor...? Vint donc le deuxième temps des illusions fanées. Il se mit à boire seul, à n'importe quelle heure, sans même la soif et une bonne compagnie, à tituber dans les allées en braillant des chansons de Saint-Pierre qui offusquaient la chrétienneté de certaines marchandes, et désolaient Man Elo. Oubliant ses obligations de maître-djobeur, il utilisait comme drapeau un vent de paroles insensées, et terminait ses journées dans les plus larges dalots. Nous crûmes que c'en était fait de lui quand il garda en permanence son pantalon de tergal, taché des vomissures d'alcool et de la crasse des caniveaux. Dans les pires moments de délire, il campait sous la fenêtre d'Anastase et chantait à tue-tête des couplets amoureux. L'échappée s'affligeait de ce désespoir. Un jour, elle sortit, le prit par la main, et, lui soutenant les reins, elle le ramena chez elle. Avec une serviette mouillée du parfum de Cologne et d'eau chaude, elle lui débarbouilla le visage, lui lissa sa chevelure qui avait doublé de longueur, lui rafraîchit le corps. Elle l'enveloppa dans un drap propre tandis qu'elle lui lavait son linge. Alors que Man Elo n'y était jamais parvenue, lui, extasié, se laissait faire, la suivait dans ses déplacements d'un regard aveuglé. Elle lui parlait gentiment, lui séchant chemise et pantalon au fer chaud. Pipi penchait la tête, hypnotisé. Elle dissipa ses brumes alcooliques avec du café salé; du coup, il s'endormit en travers de la chaise. Elle dut attendre l'arrivée de Man Goul pour le transporter sur le lit. Les deux femmes s'assirent de part et d'autre de l'amoureux au rhum dormant, échangeant les habituelles paroles sans chemin de leurs soirées communes. Elles le réveillèrent pour un bol de soupe grasse, et deux sardines séchées. Man Goul partie, Pipi et Anastase demeurèrent en tête à tête, s'observant derrière la vapeur de leur bol. Notre compère aurait pu communier là avec celle qui consumait son âme. Elle avait pour lui les gestes pleins de gentillesse, un regard attendri. Mais le destin n'ayant pas de sentiments, le vieux couloir se mit à grincer sous le pas dansant de Zozor Alcide-Victor. Quand le séducteur ouvrit la porte du logement, elle chassait déjà Pipi à deux mains. C'est une manière de damnation que ce dernier arpenta alors, couronné d'un rhum permanent, expliquant aux anges des choses incompréhensibles, ce qui nous accablait quand nous l'observions aux heures creuses, sur les caisses.

Il fut ramené de l'abîme des passions par l'inattendue mort de l'immortelle Man Goul. Le corps trouvé sans vie de la vieille, assise bien droite derrière son panier, avait rameuté tout le monde pour un coup de senne dans la tristesse. Sa peau avait le gris cendreux des désastres volcaniques. Pipi redevint lui-même : il la prit dans ses bras et l'emporta dans sa case en traversant la ville. Il fut actif aux côtés d'Anastase, de Bidjoule et de Man Elo, pour les papiers de la mairie, le cercueil à trouver. Durant la veillée, ses yeux ne se posèrent jamais sur Anastase qui priait en silence. Deux jours après l'enterrement, alors qu'il avait retrouvé sa brouette et ses djobs, il grimpa sur la fontaine, forçant le marché au silence tandis qu'il hurlait :
– Man Goul ho, la misère t'avait quand même laissé aux yeux l'étincelle verte des plantes...
Roye, nous mîmes pleurer par terre à l'écoute de cette parole d'hommage – seul Bidjoule conserva les yeux secs.

Quand aujourd'hui, dans l'âpre effort qu'exigent ces souvenirs, nous revoyons cette bombance d'après-guerre, une onde nostalgique nous parcourt : ô bonne saison de marché! Nous, Didon, Sirop, Pin-Pon, Lapochodé, Sifilon, maîtres-djobeurs, malgré nos cheveux blanchissants nous nous sentions indestructibles : il y avait tant de vigueur chez Bidjoule, et chez Pipi, ce grand maître auquel nous nous identifiions! Le voir vivre, dominer la fatalité de son père dorlis et cet impossible amour pour Anastase, prouvait qu'il était bien planté dans la vie, dur et résistant comme le bois des campêches. Ho, il avait quelque amertume dans le regard, un ou deux plis au front, mais au midi du marché, dans le peuple des paysannes et la fureur des djobs, il déployait son énergie étonnante – et il était royal. Nous ne savions pas encore que pour lui, comme pour nous, l'étouffement allait suivre.

Deuxième partie

EXPIRATION

ê-ê-ê!...

(Seul discours
philosophique de
Bonne-Manman
face aux macaqueries
du destin.)

Messieurs et dames de la compagnie, à mesure que passait le temps, les avions et bateaux de France augmentaient. Ils amenaient des caisses de marchandises à bon marché, des pommes et raisins exotiques à nous chavirer le cœur, des produits inconnus en conserves, sous cellophane ou en sachets sous vide. Les békés vendaient leurs terres agricoles aux organismes d'H.L.M., ou aux fonctionnaires amateurs de villas, et construisaient sur la jetée des entrepôts d'import-export. Bientôt, ils quadrillèrent le pays de libres-services, supermarchés, hypermarchés, auprès desquels les nôtres faisaient triste figure. Le peuple des établis, tout à la joie d'avoir été sacré membre du grand pays (Français par un coup de loi*), était fier de ces vitrines étincelantes, ces rayons interminables débordant de beautés. Les magasins habillaient de plastique les façades de vieux bois, et des néons clignotants évoquaient Noël chaque nuit dans les rues. Le monde nous

* Les djobeurs évoquent ici la loi n° 46-51 du 19 mars 1946 « tendant au classement comme départements français de la Guadeloupe, de la Martinique, de la Réunion, de la Guyane française ».

parvenait enfin : les postes de télévision regorgeaient de plus d'images que la mémoire d'Elmire. Nous fêtâmes cette loi au flambeau, avec la frénésie qu'ont généralement les orphelins quand une mère les recueille.

DÉPARTEMENT, DÉPARTEMENT !...

L'extinction fut d'abord imperceptible. Quand elle devint d'une dramatique évidence, rien ne permit le sursaut. Dans notre marché aux légumes les clients se raréfièrent. Les très vieilles paysannes lâchèrent prise, les moins âgées délaissaient leurs paniers pour des emplois de ménagères dans les administrations ou les immenses villas. Les jeunes marchandes gagnaient la France avec l'aide du Bumidom*. Autour des établis désertés, nous transportions des paniers trop légers, et les brouettes perdaient leur équilibre. Le samedi seul gardait de son animation, car les fait-tout du dimanche accueillaient encore quelques produits locaux. La vie de djobeur devint plus aride qu'à l'époque de l'Amiral Robert. Pipi, Sifilon, Sirop, Lapochodé, Didon, Pin-Pon et Bidjoule, tous, nous flottions dans nos tricots, augmentant par les demandes de crédit le trône de cahiers de Chinotte. Les marchandes n'étaient plus aimables avec personne. Elmire parlait peu, et Pipi raccourcissait ses tournées entre les établis. La chaleur abîmait les paniers d'invendus. Nous nous disputions, le soir, des tomates flétries, des carottes chiffonnées, des oranges rougies sous le travail de l'âge. Nos brouettes ramenaient aux

* Bureau des migrations des départements d'outre-mer. Société d'Etat créée en 1963 – organisa une émigration massive.

134

taxis des produits recouverts d'une toile humide et d'un chapelet protecteur.

Vers cette époque, surgit une étudiante révolutionnaire qui nous cravachait de son idéal manié comme une liane. Sa voix couvrait les appels des paysannes sans clients, inquiètes des fruits-à-pain mûrissant, des caïmites ouvertes sous la première chaleur.

– Il faut stopper l'importation des produits français, les taxer à nos côtes, hurlait la belle, sinon vous resterez dans cette misère sans fin! Vos ignames reculeront devant les pommes de terre et jamais vos quénettes ne concurrenceront leurs raisins!...

Elle hurlait aussi :

– Il faut vous organiser, rationaliser vos productions, réunir vos énergies dans la force d'une coopérative qui pourra se doter de réfrigérateurs, de quoi conserver les produits et répartir leur vente sur toute l'année! Vous vivez encore au rythme des saisons : c'est de la cueillette, pas de la production... Mais réveillez-vous, sortez du cimetière...

Cela retentissait dans le marché, sans plus d'effet qu'un charabia de haute-taille* pour touristes. Nous aimions simplement contempler sa fougue juvénile. Pipi, toujours plus avisé que nous, utilisait pour lui répondre des mots d'énigme :

– Ma commère, ne nous amène pas de chaleur, ni le bois-vert à bailler les volées : nous épilons une chevelure amère...

L'étudiante n'y comprenait hak, rien de rien, comme elle ne comprenait pas non plus qui nous étions et ce que nous faisions là : Mais vous êtes

---

* Danse au cours de laquelle les couples exécutent les directives d'un chanteur-parleur intarissable.

135

totalement improductifs, vous ne cueillez même pas!... Seules les marchandes l'intéressaient; ignorant Pipi, elle s'en allait porter sa foi aux quatre angles des grilles. Nous l'oublions vite, tant l'urgence était ailleurs et qu'il fallait être vigilant pour manger. Lancer les brouettes avant l'heure afin de « cueillir » les premières et rares marchandes, effectuer les trajets en deux fois moins de temps de manière à doubler les clientes. Des bougres en déveine se déclaraient porteurs de toutes qualités, cassaient les prix et accentuaient nos difficultés. Nous les menacions au couteau et à l'acide méchant. Nos sangs éclaboussaient une même géhenne. Si les dernières marchandes de la belle époque ne nous étaient pas demeurées fidèles, il est sûr que nous eussions dû guetter la vie avec la boue au ras des yeux comme les crabes de la dèche. Oh nous enviions ces jeunes marchandes envolées vers Paris en allers simples, nour leur enviions cette vie des grands pays, et c'est la tête pleine de voyages que nous nous endormions sur les caisses, dans les attentes prolongées, et souvent vaines, des djobs. De manière encore anodine, notre tête déménageait. Notre seule science, celle de la brouette, perdait de sa netteté. La machine nous coulait entre les doigts dans des craquements subtils. Les outils, si bien maniés auparavant, se révélaient étranges, comme si nous devenions l'écume inutile d'une vie qui changeait.

Bidjoule en dérapage. Ceux qui s'accrochaient au marché succombaient souvent à une sorte de folie devenue ordinaire. Nous, maîtres-djobeurs blanchissants, n'avions aucune échappatoire : en dehors du marché nous ne savions rien faire. Et c'est comme pris au fond d'une dame-jeanne immergée que nous vîmes le naufrage des deux plus jeunes d'entre nous. Le premier à vaciller sans annonce fut Bidjoule. L'alarme commença quand sa brouette perdit une roue et brisa son essieu. Panne de rien. Mais notre compère passa un dimanche perplexe devant sa boîte à outils, indéchiffrable une fois ouverte. Il ne put qu'effectuer une bricole honteuse qui lui ôta toute vie des yeux. Les jours suivants, nous le vîmes à chaque dix mètres, cherchant à surprendre par de brusques volte-face un abîme qu'il prétendait le suivre. Puis il se mit à frotter ensemble dix mêmes mots dans une discussion fougueuse avec lui-même. Il semblait charrier dans sa tête une douleur impossible, et jeter sur notre vie des regards affolés. Les larmes noyaient parfois d'aiguës flammes dans ses yeux. Nous assistâmes, impuissants, à sa lente immersion, à ses djobs de plus en plus mal faits, aux éraflures que sa brouette infligeait aux voitures. Il avait parfois des colères insensées au cours desquelles il agressait des passants, attirant sur lui les matraques policières. Dérouté, Pipi rôdait autour de lui avec une mine de chien sur yole. Il avait alerté Man Joge. Avec Bidjoule, cette dernière s'était toujours montrée d'une excessive gentillesse, surtout après la mort de Man Goul. Elle venait chaque deux jours, le réclamait quand il était absent, ne confiait qu'à lui le transport de ses courses et, en paiement de ces djobs mineurs, de manière inexplicable, lui offrait plus de sous que vraiment mérités. Nous crûmes pendant un temps que l'énorme avait des envies, et qu'elle cherchait moyen de rendre à Ti-Joge ses infidélités. Mais cela ne collait pas : les regards qu'elle portait à Bidjoule n'étaient jamais branchés sur l'ancestral frisson. Et de le voir désemparé, l'accablait beaucoup plus que quiconque. Ni Pipi, ni elle, ni Pin-Pon son ancien maître, n'amenait de pluie sur la sécheresse du bougre. Sa perte, c'était clair, remontait à cette minute où ses yeux n'avaient pas trouvé d'eau pour pleurer Man Goul. Quand il disparut, c'est sans trop d'espoir que Pipi le recherch. Il disait à quoi bon, à quoi bon, mais durant cinq jours-cinq nuits, sans désemparer alors que nos jambes nous trahissaient, il visita les impasses des Terres-Sainville, les raziés du séminaire-collège, les dédales du quartier Rive-Droite. Il le recherch dans les déserts rocheux de la Pointe-Simon et au bas des murailles du fort Saint-Louis où les désespérés vont parler à la mer. Le Calvaire, la Folie, le Morne-Pichevin furent ratissés en vain. Man Joge, venant régulièrement aux nouvelles, une fois même en pleura... Au sixième jour, la police le retrouva enterré jusqu'à la taille dans les raziés du Bois-de-Boulogne, juste derrière la Savane. Comme il soutenait être une igname, Colson le recueillit sans plus attendre. Cet hôpital psychiatrique nous épouvantait tant que Pipi lui-même n'osa pièce temps l'y visiter. Man Joge en fit une demande qu'elle se vit refuser : elle ne pouvait préciser à quel titre.

Ô CETTE DOULEUR! Man Joge dévastée vint nous annoncer la mort de Bidjoule. Les médecins l'avaient retrouvé couché en position fœtale, un sourire sur les lèvres. Ultime étrangeté de l'énorme : elle pleurait comme un jour de cyclone. Aveuglés, nous la regardâmes s'en aller, titubante. La nouvelle visitait le marché, provoquant du silence. Quoi? Man Joge, femme de Ti-Joge le facteur, qu'avait-elle à pleurer pour un djobeur? Ce mystère accompagna le cortège d'enterrement où nous fûmes surpris de ne pas voir Ti-Joge. Sa femme, appuyée sur Pipi, marchait au premier rang, djobant une douleur plus lourde que la nôtre.

– Pipi doit savoir, nous chuchota Elmire.

Man Joge, quittant le cimetière, s'en fut rejoindre Ti-Joge que l'on disait ficelé sur son lit, victime du delirium tremens. Notre facteur avait perdu son air de colonel : l'asthme lui ayant ralenti la marche, ses chefs l'avaient enlevé de la distribution pour l'affecter au tri. Il s'était mis à boire d'une mauvaise manière. A cette époque, Pipi, en proie à son vertige d'amour, lui avait donné la réplique. Puis Ti-Joge avait disparu de nos chemins : il ne venait plus à la messe du rhum, et rien ne le ramenait par le marché. Nous l'aurions oublié s'il n'avait surgi parfois à sa fenêtre, cheveux blanchis, pâle et défait, avec la peau fine des vieillards précoces. Il faisait des petits signes de la main en retrouvant un sourire gaillard, et nous le saluions d'un lever de brouette. Ne pas le voir à l'enterrement de Bidjoule nous fit douloureusement pressentir que, pour lui aussi, cette vie divaguait.

Au *Chez Chinotte*, autour d'un rhum mortuaire, Pipi se jeta dans nos bras en pleurant : c'était sa mère manmaye... Man Joge était la manman de Bidjoule... SACRÉE SURPRISE ! qui nous précipita dans une enfilade de punchs. Pour le marché, la mère de Bidjoule était un bénitier, et Man Goul n'avait pas démenti. Pipi nous ouvrit alors sa mémoire. Peut-être nous révéla-t-il du même coup l'indicible torture : Bidjoule était fils d'une mère oublieuse et personne ne s'en était douté ! Dans cette vie où chaque homme est la croûte d'une blessure, comme il est difficile de reconnaître les sèves du désarroi...

Levant son dernier punch, Pipi sanglota :

– Bidjoule ho ! Songe uniquement que notre seule

139

mère c'est la déveine, le courage notre père, et que, final de compte, c'est l'oublieuse qui paya ton cercueil...

COUP DE FIÈVRE D'OR

Nul ne peut préciser le moment où l'idée de l'or entra dans la tête de Pipi. Avec la mort de Bidjoule, Chinotte en émoi s'était mise à pleurer sur le peu de chose que nous étions ici-bas. Elle délirait presque du haut de ses cahiers, évoquant des bribes de sa vie d'aventures en Colombie. Cela raviva dans nos têtes ces vieilles légendes d'or et de bijoux qui l'auréolaient. Pipi, chaque jour, la fixait de plus en plus intensément. Un jour il s'approcha de Chinotte qui comptait sa recette de midi, et demeura planté devant elle. Il allait être treize heures trente, les pêcheurs regagnaient leur barque. Les autres rhumiers s'apprêtaient au charroi difficile d'un gaz d'alcool. Nous avions regagné le marché en vue d'une séance de photos avec des savants canadiens.

– Tu veux quoi ? lui demanda l'Aventurière sans lever les yeux.

– Je vais chercher de l'or...

(Ho ! comme le destin germe parfois de manière anodine...)

Chinotte poursuivit ses calculs dans une concentration de solitaire. Pipi insista : Ecoute Chinotte je te dis, toi qui connais bien l'or, il y a des trésors partout dans ce pays, des coffres de pirates, des sacs de gros békés vicieux... les contes en parlent, oui...

L'Aventurière repoussa son bic avec agacement :

– Hébin ouais !... Comment veux-tu que ce pays ne coule pas ? Les enfants vont à l'école pour apprendre des choses de France que personne ne comprend, les jeunes sont charroyés vers Paris par milliers, la canne est malade, cagoue même, la banane est tombée en état, l'ananas est déjà en enterrement, les gendarmes tuent chaque année deux ou trois ouvriers agricoles dans la dèche, les marchandes demandent du pain aux chiens devant les supermarchés, la misère mène partout son bankoulélé, et toi, tu viens me parler de trésor de pirates!

Surprise de la violence du ton, la serveuse s'était arrêtée de ranger les verres sales. Elle observait Pipi qui avait pris un air de chien castré devant une femelle en chaleur.

– Quoi faire d'autre? gémissait-il.

La colère de Chinotte retomba. Elle savait que Pipi, comme nous tous, ne parvenait plus à payer ses punchs. Le marché se déplumait. Un silence grandissait entre les établis avec des rats et des fourmis. Les djobeurs se rabattaient sur les Syriens. Pour Ahmed, Pipi charroyait les cartons vides, lui enlevait des entrées du magasin les crottes animales dont l'odeur ternissait les soieries. Ahmed n'avait pas véritablement besoin de lui (comme tous les autres de nous), mais ces djobs lui évitaient la simple aumône. Le soir, évitant d'accabler Man Elo, Pipi mendiait aux marchandes quelque légume rassis. Chinotte savait tout cela. Elle se fit compatissante : Ouais, ça me ferait plaisir si tu trouvais un bon coffre...

– Tu peux m'aider?

– Aider donne mal au dos...

– On dit partout que tu as trouvé un trésor en Colombie!

– Saki disa? (Qui prétend cela?)

– Elmire la voyageuse... Pour elle, ton or ne peut provenir que de là...

141

– Bêtises.

– Pourquoi?

– Parce que je n'ai jamais vu une pièce d'or de ma
vie, et qu'en Colombie j'ai travaillé, travaillé c'est
tout, tu comprends. LE TRAVAIL! Il n'y a que ça
derrière moi... J'ai lâché des sueurs vertes dans le
canal de Panama qu'il fallait creuser, et j'ai pissé
rouge sous les pieds de caoutchouc! Et sais-tu ce que
chaque jour je vois devant moi?

– ...

– Le travail! De la sueur et de la peine encore : rien
que ça!

– Et ton monstre?

– Quel monstre?

– L'Anticri...

– Bêtises de rhumiers! Si j'avais ça, tu crois que je
passerais ma jeunesse dans ce gaz de rhum citronné?
Ou même dans cette ville ababa qui sèche au soleil?

Ces révélations provoquèrent un tel vertige chez
Pipi qu'il dut s'accrocher au comptoir. Il demeura
ainsi quelques secondes, fébrile comme un rat empoisonné. Chinotte indifférente replongea dans ses chif-
fres. Pipi s'en alla d'un pas raide; le rhum, exaltant
tout à l'heure, lui infligeait en descendant une misère
dans les jambes. Il passa les trois heures suivantes
dans un des magasins d'Ahmed, aplatissant le carton
des derniers arrivages, plus pensif qu'un zandoli
devant une mouche. Impossible de concevoir Chinotte sans pièces d'or, ni Anticri. Sinon, qu'est-ce qui
aurait pu mettre le quimboiseur dans cet état? Pas
possible, mais pas possible de l'imaginer en sueur sur
les marchés de Colombie ou les plantations d'hévéas
d'Amazonie. En déchirant la dernière boîte, il conclut
qu'elle lui avait menti. Elle ne voulait pas partager ce
merveilleux secret qui lui avait permis de déceler un

trésor quelque part dans le monde, et d'atterrir ici-dans royale et mystérieuse. La tentative de dissuasion de l'Aventurière lui prouvait l'existence de coffres enfouis un peu partout, dans des couches de terre ancienne. Pipi se représentait clairement des bahuts à charnières dorées, des caissons à tiroir, une masse d'or dont l'évocation lui provoqua une démarche asymétrique devant laquelle Ahmed resta coi, persuadé d'y voir un effet attardé du rhum de midi exigeant un rendement.

A mesure que la fièvre des trésors, bien connue de tous, s'emparait de Pipi, il perdit le sens de la brouette et se désintéressa des djobs. Chose impensable, il se brisait souvent une roue, et ne savait plus éviter les encombrements. Avec des yeux de candidat pour Colson, il travaillait son idée fixe. De vieux chercheurs d'or du quartier Citron reçurent plusieurs fois sa visite et lui confièrent leurs soupçons quant aux emplacements présumés d'une jarre operculée de cire rouge sur un amas d'écus. L'existence de cette jarre se justifiait par une rumeur fantastique que les vieux lui détaillèrent...

(*Ce que dit la rumeur sur Afoukal, l'esclave-zombi.* Un maître béké de l'ancienne époque, à l'annonce forcée de l'abolition de l'esclavage, vida ses bas de laine, ses coffres, ses goussets, ses pochettes, les écrins et les boîtes à bijoux de sa femme, arracha les boutons d'argent de ses vieux costumes militaires, gratta le placage d'or de sa montre, dévissa les poignées d'ivoire sculpté des portes, le pommeau serti de sa canne, décolla les arabesques d'argent de ses selles, et fourra le tout dans la jarre de Provence où l'on serrait d'habitude l'huile de l'habitation. Dans le secret d'une nuit sans lune, il réveilla l'esclave Afou-kal, cocher fidèle qui avait su échapper à l'agonie des champs et qui consacrait sa vie à l'élaboration d'une moustache de lord-anglais-un-peu-pirate. Il lui fit charger la jarre sur un cabrouet et se dirigea en sa compagnie vers l'endroit en question, fréquenté alors de mangoustes aigries et de manicous sans compères. Le béké, à ce qui paraît, était curieusement gai, la lèvre pleine d'un murmure d'anciennes chansons bretonnes. Cela plongeait Afoukal dans une angoisse diffuse. Voir le maître en somnambule chanteur n'était pas chose habituelle.

– Afoukal mon fils, demain tu seras libre... Bon d'là voilà donc le dernier service gratuit que tu me rendras...

– Oh, vous savez, maître, la liberté...

– Quoi, la liberté?

Ils longèrent les champs éteints où les Bêtes-longues sifflaient. La nuit diffusait loin les contes grinçants des bambous dressés dans les ravines. Le ciel grouillait de chauves-soucis, de lucioles éclairant leur propre âme.

– La liberté ne change pas le service... Je vais rester chez vous, oui...

Ils plongèrent dans les sous-bois. Le cabrouet resté au bord de la route, Afoukal portait la jarre au dos. Devant, le maître écartait les longs cils des fougères arborescentes et des raziés levés. La montée des acacias se gommait dans le ciel. Dans le noir, le frémissement des troupeaux de feuilles.

– Ah ça, question de rester, tu vas rester, ricanait le béké.

Malgré sa gêne, Afoukal creusa le trou qu'il lui ordonna, y poussa la jarre, la cala bien comme il faut avec quelques pierres rondes, et s'apprêtait à remonter quand le béké, pemché au-dessous du trou, lui dit comme cela : Afoukal mon fils, tu vois cette jarre?... Afoukal sentit un vieux sifflement germer à ses oreillers, mais il répondit, toutes dents à l'embellie : Ah ça je l'ai bien vue! mais pourquoi, maître?...

– Je compte sur toi pour bien la protéger, ne laisse personne la prendre...

– Tu peux compter sur moi, maître, répondit le bonhomme de plus en plus glacé, mais donne-moi une petite main pour m'aider à sortir, souplé...

Le béké lui tendit la main, le hissa vers lui et flap! lui fendit le crâne d'un habile coup de coutelas. Afoukal était retombé sur la jarre qu'il s'était mis, dit la rumeur, à protéger d'une férocité amère. Elle découragea le béké lui-même qui, revenu de sa crainte de l'abolition (chaînes mises à part, rien n'avait véritablement changé), n'essaya même pas de récupérer sa fortune. Il était plus facile, admettait-il, de la reconstituer sur le dos des nègres libres (ce qu'il fit, parole, en moins d'une génération de négrillons). Il décrivit à ses intimes la bonne blague faite à Afoukal. Lesquels intimes la racontèrent aux leurs. La Parole n'ayant pas d'épaules, cela provoqua un engrenage sans point final, sacrée manman de la rumeur...)

Bien entendu, les vieux n'étaient pas les seuls à savoir l'emplacement de la jarre. Toute une génération de foubins s'était abîmée contre la féroce vigilance du zombi d'Afoukal respectant avec une obstination de diable sourd la parole donnée. Posé sur la jarre, Afoukal l'avait d'abord entraînée à mille mètres plus fond. Il voulait se réchauffer vers le feu de la terre, du froid inaltérable que lui avait laissé la surprise de sa mort. Nostalgique, il remontait à chaque minuit en compagnie de l'objet de sa garde, stagnant presque en surface à l'écoute de la nuit, accessible à une pelle bonne, à un courage beaucoup. Hélas, avant de rencontrer la jarre, la pelle butait contre les os d'Afoukal, s'effritait au contact de ses vertèbres, s'enflammait à celui de ses côtes. L'imprudent terrassier amateur d'or facile constatait horrifié qu'une ronde de clavicules en croix, d'humérus et de tibias en fleurs le prenait pour épicentre. Cette danse des os avait la regrettable particularité de convier au bal ceux du téméraire chercheur. Il sentait alors en lui l'agitation de son squelette. On le retrouvait au matin, chiffonné comme un sac vide. C'est pourquoi la jarre ne se vit déranger qu'une fois tous les cinquante ans, par quelque bougre trop jeune pour avoir connu l'état de son prédécesseur, et trop aveuglé par l'apparente facilité de l'affaire.

Armé d'une pelle et d'une lampe à pétrole, Pipi visitait les endroits indiqués. S'agissant toujours de propriétés privées, il y allait de nuit, ramenant au petit matin, derrière la brouette, des petits yeux de dorlis. Au premier endroit, jardin d'une luxueuse villa, il avait à peine creusé au bas d'un arbre à feuilles jaunes qu'un jappement s'éleva, et qu'une sommation prolongée d'une saisissante brûlure aux fesses lui permit de se savoir victime d'un tir au gros sel. La cacarelle lui procura suffisamment de balan (vitesse) pour éviter la décharge suivante. Au deuxième côté, dans les environs du quartier Château-Bœuf, il franchit une claire-voie, longea le mur d'une belle villa en direction d'un terrain vague signalé comme tabernacle de la jarre, et pénétra dans un dédale de cages sur pilotis aménagées de battants, où il jeta une panique indescriptible parmi une centaine de volailles, coqs hargneux et pondeuses susceptibles. La lueur de sa lampe lui dévoilait à chaque pas un vertige de crêtes, d'ergots furieux, d'ailes battant la frayeur. La maison s'était illuminée et une voix d'homme se faisait menaçante. Glacé, Pipi rampa dans une forêt de pilotis et s'immobilisa dans un coin éloigné sous l'aviculture démentielle. Là, il prit tout à coup conscience du remugle infernal dans lequel il baignait : il avait rampé dans une couche de cacapoule dont l'épaisseur fabuleuse attestait le grand âge. Il fut obligé d'y passer la nuit, car le maître de céans, armé de son coutelas, arpenta l'architecture dédalienne jusqu'au pipiri-chantant. La pluie glaciale de l'aube permit à Pipi de s'éclipser : l'aviculteur, forcé de se mettre à couvert, s'était éloigné en maudissant les voleurs de poules et autres nègres isalopes.

Le troisième endroit fut le bon; c'est-à-dire que le destin lui avait laissé là une commission. Indiqué par les vieux, il se trouvait entre le quartier Tivoli et les terres de De Briand, dans une clairière où même à Pâques (heure du manger de crabes) personne n'allait piéger les trous. Echaudé par ses expériences précédentes, Pipi se rendit dans cette clairière d'abord en éclaireur, sans pelle, porteur de sa lampe et de son habituel coutelas. La nuit était si claire qu'il put éteindre sa lampe et trouver facilement l'endroit exact où, à minuit pile, l'oreille collée au sol, il perçut le frottement de la jarre et le cliquetis des os d'Afoukal : la terre vibrait en cédant le passage à cette remontée fantastique. Pipi fut envoûté par ce bruissement feutré qui suintait de la terre, aiguisé par la sécheresse des calcaires, diffusé dans les couches de sable fin, assourdi et ralenti par les dernières croûtes d'argile rouge et l'épaisse toison d'herbe-guinée qui couvrait cet endroit. Le bruit cessa vers minuit quinze, dans un murmure de feuillage abandonné par le vent et les ultimes clapotis de la terre dérangée. La joue contre l'herbe, Pipi perçut, immensément troublé, la présence proche de la jarre, son immobilité attentive. Il eut l'impression de pouvoir la toucher en enfonçant le doigt, ou, écartant les premières racines, la saisir facile et l'emporter. Mais il avait entendu, mêlée à la tranquillité, une obsédante présence : les tikitak tikitak tak tak d'une ossature mal soudée. Il préféra remettre toute fouille à plus tard, et s'en alla rempli d'une joie pensive qu'il charroya dans nos djobs à l'envol, chez Chinotte à midi, entre les établis du marché, les cartons, les toiles à enrouler et les ordures d'Ahmed.

Il la traîna aussi chez les vieux chercheurs d'or qu'il s'était remis à consulter. En habitués de ce symptôme des candidats à la danse des os, ils riaient silencieusement entre leurs gencives brûlées au rhum.

– Aaah Pipi, Afoukal n'est pas facile. Vivant, il avait déjà la tête dure; mort, avec la tête fendue, c'est deux têtes dures qu'il a! Que faire je te demande, contre deux têtes dures à la fois? Et puis, sache : dans cette clairière rôde parfois une diablesse qui te charme et t'emporte : la terrible Man Zabyme. Méfie-t'en car elle complique l'affaire...

– J'ai pas peur des diablesses, mais d'Afoukal! Il doit bien exister un moyen de le stopper, gémissait Pipi.

Les vieux-corps continuaient à rire doucement et se grattaient la tête. Ils jetaient parfois des regards pointus vers les quatre points cardinaux, avant de se remettre à rire d'un chuintement de gencives.

– Mais, Pipi, s'il y avait un moyen, rien qu'un seul, est-ce que la jarre ne serait pas déjà dans nos affaires, hum ? Je te le demande...

Ils disaient aussi :

– En l'affaire, Pipi, il faut de la patience et il faut de la chance. De la patience pour attendre Afoukal, et de la chance pour qu'Afoukal vienne...

– Mais vienne où ça ?

– Dans ton sommeil.

– Hein ? !

– Si tu sais l'attendre, et si tu as de la chance, il viendra une nuit dans ton sommeil. Et là tu sauras comment faire pour prendre la jarre sans pièce problème...

L'espoir enflammait Pipi comme des raziés secs en carême.

– Il viendra ?

Les vieux se grattaient la tête encore, toujours en proie à leur fou rire discret.

– Si tu as de la chance, il viendra.

– Il viendra quand ?

– Vite, si tu as de la patience.

– Vite c'est quoi ? Et pas-vite c'est combien de temps ?

Une flamme amère traversait leurs regards secs. Tous répondaient avec la même intonation, et les mêmes mots :

– Mais, Pipi, voyons, ça peut prendre une vie et plus d'une vie. Nous, regarde, on a passé la nôtre à l'attendre. Et je te le dis : on l'attend toujours...

Cela avait troublé notre homme, mais il avait ri au nez des vieillards : Tort, vous avez tort ! il doit y avoir un autre moyen... C'est peut-être ce moyen qu'il cherchait lors de ses stations chez Chinotte devant un punch quatre-doigts qu'il ne buvait même plus; ou quand vers midi, sur le marché, il prenait un envol sans filet dans le silence, plus bizarre qu'un mangot hors saison. Il n'avait plus le goût des djobs. Le magistral coup de brouette qui l'avait consacré un samedi lui était clairement inaccessible. Il se contentait de prendre le frais dessous les rares paroles d'Elmire, ou de s'amuser aux cris de l'étudiante révolutionnaire. De temps en temps, il retournait au domaine d'Afoukal. A plat ventre il se soûlait de l'étrange musique des remontées de la jarre. Parfois il murmurait au gardien : Oui c'est moi Pipi, djobeur de déveine comme toi Afoukal, je creuse des trous sans savoir s'il s'agit de ma tombe et chaque jour quelque chose me fend la tête... Le zombi semblait l'écouter, apprécier sa présence. Souvent lui parvenaient des soupirs, mais il ne pouvait déterminer s'ils émanaient de l'herbe-guinée qui allongeait ses racines ou, via la terre, de la gorge du zombi. L'endroit lui devint familier. Il connut les vaches blanches qui le traversaient en broutant les herbes transparentes d'une prairie aérienne. Il s'habitua à ces troupes de nègres-marrons, flous comme de lointaines fumées, qui venaient rire sur la tombe d'Afoukal, se moquer de sa docilité, lui reprochant de ne pas s'être enfui comme eux. Il apprit là que les lucioles dessinent, la nuit, les contours de leur âme, et qu'elles éclairent pour des insectes rampants une constellation de pays rêvé. Un sommeil l'emportait en passant, la tête tournée vers la tiédeur de sa lampe laissée au plus faible. Quand la pluie froide qui prépare l'aube le réveillait, il auscultait ses rêves à la recherche d'Afoukal, des paroles qu'il aurait pu lui avoir dites. Il n'y rencontrait qu'une détresse sans nom, des bruissements de chaî-

150

nes, des puanteurs de cales sombres, des clapotis de vagues amères. Afoukal lui laissait dans la tête ses propres souvenirs sans jamais rien lui confier à propos de la jarre. Pipi renouvela souvent l'opération. Afoukal prit plaisir à visiter ses rêves, à lui parler de plus en plus nettement de la vie des plantations sous l'esclavage : plus grande des détresses quotidiennes.

(*Les dix-huit paroles rêvées qu'Afoukal lui offrit.* C'est par là que Pipi remonta sa propre mémoire fendue d'oubli comme une calebasse et enterrée au plus loin de lui-même.

    1 - Les Congos, capturés plus nombreux que titiris. Chaque vague de la Pointe-des-Nègres est une de leurs âmes. Pour ton arbre, ils branchent le plus touffu feuillage. Mais il y eut aussi : les Nagos, les Bambaras, les Aradas, les Ibos et les Mines. Et, souvent en marronnage*, les Hriambas, les Sosos, les Tacouas, les Moudongues, les Cotocolis. Ils étaient si différents qu'ils inventèrent le début de ta parole pour bien nous lier ensemble. En ce temps-là, les marées mauvaises rapportaient ces milliers de méduses qui devaient brutalement réinventer la vie, sans une eau si ce n'est souvenir.

    2 - Il y avait trois noms. Celui du Grand-Pays (défait dans l'inutile ou

* Fuite de l'esclave.

l'attentat), celui du bateau (donné par les marins à l'heure des douches d'eau de mer et de la gymnastique qui décollait nos muscles), et celui des champs. Celui-là disait ta mort définitive : tu mourais avec et le laissais à tes enfants déjà oublieux de toi. Alors pour nous les noms n'avaient plus d'importance. Quand le maître te nommait Jupiter, nous t'appelions Torticolis ou Gros-Bonda. Quand le maître disait Télémaque, Soleil ou Mercure, nous disions Sirop, Afoukal, Pipi ou Tikilik. Est-ce que cela s'est perdu ?

3 - Avant le pipiri, le commandeur sifflait. Son fouet souvent claquait. Au loin vibraient les cloches des grandes habitations. Défilés, raides encore de sommeil, au rythme de l'appel de l'économe. Nous débouchions alors sur la prière à dire et le petit-manger. La demi-nuit et le vent encore froid nous forçaient à parler à voix basse. N'imagine pas de misère ou de détresse, mais des réflexes bien agencés où il n'était nullement besoin d'Exister. Nous partions vers les champs sans même lever la tête. Les Bêtes-longues savaient nous vaincre quand, courbés vers la terre, nous peignions de longs cheveux brûlants. N'imagine pas de douleur (elle était trop abso-

152

lue pour être quotidienne), mais le lent vertige de l'absence. A midi, la trop-vieille nous amenait les salaisons, les bananes bouillies, le manioc et la guildive. Nous mangions chaud et la parole montait (parole neuve, forgée là dans les champs). A ce moment le corps s'installait dans la douleur : les mains étaient à vif, les égratignures des méchantes herbes chantaient. Le commandeur, au fouet ou au sifflet, relançait le travail. Et le champ nous avalait jusqu'à l'anus nocturne. Pense à cela, répété mille fois, avec les incompréhensibles coups de coutelas entre nous, les morts empoisonnées offertes par les Bêtes-longues, et la mort de chaque heure dans l'acceptation comme fatale de cette lente noyade.

4 - Imagine cela : tu descends du bateau, non dans un monde nouveau mais dans UNE AUTRE VIE. Ce que tu croyais essentiel se disperse, balance inutile. Une longue ravine creuse sa trace en toi. Tu n'es plus qu'abîme. Il fallait vraiment *renaître* pour survivre. Quelle impure gestation, quel enfer utérin, roye roye roye!

5 - Au moulin, il valait mieux être celui qui glissait entre les cylindres la

canne fraîche : la dure que tu pousses de loin dans la gueule mécanique. Mais pense au second, celui qui durant des milliers de journées reprend la canne déjà passée, plate, effilochée, trop molle pour bien accrocher aux cylindres et qu'il faut accompagner à la main au plus près des rouleaux. Que passe la fatigue, ou un rêve, ou un appel angoissé d'un aimé du pays-loin ou alors un coup de soleil, une glissée de sueur dans les yeux, un vertige qui germe... voici le doigt happé! La bête est réveillée dans un inexorable chuintement d'os et de chairs écrasés. La main s'engage devant tes yeux impuissants. Puis le bras. L'épaule. Tu cries à peine. Le jus de canne rouille de sang et de moelle. L'eau de ton âme est extirpée et coule dans les baquets. Quoi de plus horrible qu'un moulin à sucre bloqué par une tête de nègre, dure mais grimaçante? (Alors voilà : le second devint porteur du coutelas. Si le doigt était pris et s'il en avait le courage, il devait se trancher le bras. C'était quand même mieux, disait le maître. C'est sûr. De plus, au moulin, la viande salée était doublée et la guildive à volonté. C'était quand même mieux, disait le maître. C'est sûr.)

154

6 - Nous allions en arrière pour le piquage et les trous. En avant pour le sarclage. Notre rangée couvrait le champ. Derrière, l'homme du vocal disait le Congo. Les reins prenaient les coups et les têtes ballottaient. Le soleil est lourd à ces heures. La terre était belle et nous touchait l'épaule. Certains pouvaient lui parler. Elle était, paraît-il, très étonnée de nous. Les grosses pluies nous fourraient sous les sacs par lots de trois. La tête entre les genoux, nous regardions la terre recracher l'eau entre nos orteils. Les escargots et les vers sortaient. Impossible de les compter, car les gouttes nous hypnotisaient. Le pas du commandeur naviguait dans la boue, il allait-revenait, comptant nos tas : troupes de tortues rentrées, frileuses sous le malheur. Est-ce que cela s'est perdu, l'hypnose de la pluie ?

7 - Le dimanche, nous nous levions tôt. Sans sifflet et sans fouet. Pendant que l'économe contrôlait la propreté des cases, nous formions la queue devant le magasin pour la ration hebdomadaire. L'œil de l'économe adjoint décourageait la bousculade. Nous avancions, pas sérieux comme des fourmis, mais en ligne assez droite et patiente. La salaison se mettait dans le petit coui de la main

gauche. Le grand coui de la droite accueillait le manioc, les bananes, le mil, les pois secs, les tranches d'igname, de giraumon, de patates. Pas tout cela à la fois tout le temps, mais un peu d'une de ces choses quelquefois. Nous allions serrer le tout dans les cases avant le caté- chisme. Le reste du temps, jusqu'à la nuit, nous parlions à la terre de notre propre jardin, ou, selon l'épo- que, nous partions vendre nos pro- duits à l'ombre des carrefours. Cela ramenait de quoi payer l'alcool-guil- dive. La milice contrôlait nos per- missions, mais elle tirait rarement. La guildive nous possédait. Les dés, les cartes, la danse aussi, la danse, la danse, la danse... Ça a changé?

8 - La famine était la plus fidèle de nos dérives. La canne, herbe du mal- heur, nous prêtait ses racines. Tu imagines cette ancre? Nous la sucions tout le temps. Le sucre nous rosissait la lèvre. Et quand c'était dur, nous mâchions même la ba- gasse tendre des tiges violettes, jusqu'à cette pâte fibreuse à englou- tir d'un coup. Cela pesait bon sur l'estomac et dégageait bien à la descente. Tu nous vois, suceurs de cannes, drogués de sucre, rêvant toute la journée au sel sec d'une morue?

9 - Dieu. La Trinité. La Rédemption.
L'Eternité. Cela était dit au débarquement dans un mystère de langue.
Un vieux nous les répétait matin et
soir. Le curé blanc nous les maniait
en sermon chaque dimanche avant
le grand conte de la messe. C'était la
première chose qui nous glissait des
lèvres hors de notre propre langue.
Le vieux répétiteur nous servait de
parrain lors du baptême. Il nous
accompagnait, une main posée sur
notre épaule comme sur les cornes
d'une chèvre de sacrifice. Illuminé
lui-même d'une grâce qui augmentait au baptême accompli de chacun
d'entre nous. Le soir, retirés des
danses et des contes comme l'exigeait l'abbé, nous restions dans la
case, silencieux à l'écoute de nous-
mêmes, guettant le réveil de la force
magique des blancs que nous étions
certains de maintenant posséder. On
se livrait totalement à ce Dieu nouveau, espérant lui prendre de sa
force blanche pour comprendre,
sinon vaincre, cette vie, ce pays,
cette histoire déroutante. Le vieux
répétiteur, grandi des âmes amenées
le matin au dieu de ce pays, buvait à
mort, dansait à contresens de son
squelette, et bondissait indemne sur
dix lames de coutelas. Mais nous,
tremblants de ce baptême, nous

157

cherchions un sommeil où rêver de ce dieu apprivoisé, quelque peu dominé maintenant, qui nous aiderait à vaincre le maître. Nous ne savions pas, tu vois, que ce dieu ne se dominait pas. Que le maître ne craignait pas ce dieu : tiques d'un même chien-fer. Ce mirage n'a-t-il plus cours ?

10 - Du bateau nous ramenions la gale, le scorbut, la dysenterie ou la variole. Ils nous imbibaient de moutarde, de vinaigre, de citron et de bouillon d'oseille. Ils craignaient de nous vraiment, la lèpre sèche, la folie et les épilepsies qui brisaient net les plus anciennes ventes et dévaluaient tous les proches du malade. Mais plus que l'éléphantiasis, le goût invincible pour la terre rouge, le mal de mâchoire, les fièvres, les chiques ou les puces, plus que les crabes, les ulcères, plus que les maladies vénériennes, les douleurs de la tête, les diarrhées sans pardon, le mal de Siam, c'était *le chagrin* qui nous cueillait des branches de la vie avec la plus précise des gaulettes du malheur. Ni le sirop d'herbe-à-charpentier, l'huile de palma-christi, le sagon, la plus rare des huiles de cervelle de baleine, l'onguent d'althæa, l'eau de cochléaria, le baume de vin, les pilules de

Kaiser dans leurs boîtes sacrées, le cinabre, le miel mercuriel, la litharge, l'émétique, la poudre d'aillaud et la salsepareille pour d'infinies tisanes, ni la thériaque je te dis, ne pouvaient rivaliser avec la science des vieilles herbes que transportaient nos vieux. Nous aurions donné une queue de morue pour le pourpier sauvage ou la sauge américaine, les deux yeux pour une bonne qualité d'herbe-à-piment, de verveine bleue ou de pois puants. Et rien ne pouvait nous empêcher de rêver à la pimprenelle sauvage, à l'herbe-à-tous-maux et aux cressons. Est-ce encore comme cela?

11 - Les femmes avaient appris à se pousser toute vie hors du ventre. Elles commandaient au tétanos qui charroyait tant de marmaille du jour vers de larges hauteurs. Elles restaient fixes, égarées, déplumées de vie comme ces cocotiers penchés au-dessus des vagues amères, qui préfèrent alors ne pas penser aux grappes de cocos. Imagines-tu ce qu'il faut de désespoir et d'amour pour tuer sa chair? Nous les hommes, battions à côté d'elles notre misère personnelle, peu soucieux de leurs souffrances deux fois plus effroyables. Nous en renversions une tous les soirs. Nous essayions de

159

leur briser les reins, de leur faire pousser le plus haut des soupirs. Chaque coup renforçait notre propre existence, nous redressait un peu le dos, et, chiens véritables, nous les laissions avec l'infini désespoir d'un ventre en saison. La torture de neuf mois d'une vie aimée qu'il faudrait refuser. Jusqu'à ce drame solitaire qui les ternissait mieux que mangots tombés : faire naître et devoir tuer dans le noir de la case et le gouffre soudain ouvert de l'âme. Nous, sais-tu, toujours loin d'elles à ce moment-là, nous tâtions la guildive insouciante, et les danses joyeuses. Crois-tu qu'elles nous l'ont pardonné ?

12 - La nuit des contes, nous parlions du grand saut des Caraïbes par-dessus la falaise. La mer leur ouvrit là le plus beau des tombeaux. Belle tracée qui déroute les dogues de l'esclavage ! Mais nous gardions le silence pour mieux revoir nos propres élans dans la mort : dès le bateau ou le débarquement, dès la première case ou en pleine récolte. Sais-tu que certains, à l'heure du suicide, avaient les cheveux blancs ? Sais-tu la patience et la force nécessaires pour avaler sa langue ? Nous comptions les morts : l'armée de leurs esprits guettait chaque blanc d'ici

pour la plus raide vengeance, viatique de son retour au pays. En attendant, les papas-feuilles qui savaient tout des plantes empoisonnaient les bœufs de labour et de cabrouet, les chevaux, les mulets du moulin, toute l'habitation marchait à contretemps comme un crabe sans écale. Ils empoisonnaient aussi les esclaves dociles aimés du maître, quand ils se mettaient à nous regarder comme on regarde les chiens. Bientôt le maître nous fixa de côté, avec parfois dans les yeux des lueurs d'oiseau mouillé. Au soleil, notre soumission des champs; dans la nuit, cette force clandestine qui pouvait tant. Il nous fallut plusieurs générations pour envoyer le poison directement sur le maître, piéger ses jarres d'eau de pluie, infecter les gouttières de bambous. Les négresses des chambres saupoudraient de notre force végétale ses fonds de bottes, ses caleçons, les bordures de ses vases de nuit, les bassines d'émail violet de ses ablutions matinales, la frange du chapeau qui collait à son front et chaque bout de ses pipes. Celles de la cuisine en remplissaient les plats, la pointe des fourchettes d'argent, les courbes étincelantes des cuillères. Cela fut amusant de le voir alors affligé de diarrhées inextinguibles, de spasmes et de hoquètements, de yeux rougis et de traits lourds. Sa peau devenait cristalline et nous distinguions ses veines. Notre premier saut-de-cœur fut de le surprendre consultant l'un de nos papas-feuilles tant il était malade. Tu l'imagines, lui, demandeur devant notre papa? La seconde surprise fut de le découvrir mort un matin dans l'écurie, gonflé et méconnaissable. Tu te rends compte? Ils pouvaient donc mourir comme nous!? Mais nous n'eûmes même pas le temps de danser à plein ventre. Deux mois plus tard une lettre de désignation du grand patron de France ressuscita le maître. C'est là que nous apprîmes qu'ils étaient éternels.

13 - Pense d'abord au marronnage de devant-les-bois. Nous y avions le plus souvent recours. Tu partais comme cela, au vol d'une blessure du cœur ou d'un feu de la tête, pour courir à plein ventre dans les raziés libres. Tu te soûlais, de cabrioles sans fin, de rêveries dans des lits d'herbes chaudes. Mais la nuit te cernait bientôt. Irrésistiblement tu dérivais vers ton habitation d'origine aux abords de laquelle tu rôdais quelques jours. Vivant de rapines. T'abreuvant d'une liberté impuissante à trancher ce cordon ombilical qui te reliait au ventre des souffran-

ces. Cela durait généralement six mois. Puis tu revenais. Le maître, qui t'avait toujours su dans les environs, te fouettait pour le principe. L'économe, lui, ne t'avait même pas rayé des listes. Est-ce que la petite marronne se pratique encore aujourd'hui?

14 - Il fallait pour la grande marronne un cœur qui je n'ai pas eu. Tant d'années à rêver à hauteur des racines t'enlèvent le goût et le sens des hauts feuillages, même du vent. Ah, la liberté n'est pas une manmanpoule! Elle te laisse d'abord l'angoisse et les pluies froides des bois sinistres. Ton cœur injurie à grands coups le silence. Il faut saisir la marche droite, bien branchée sur l'Etoile, sinon tu tournes bientôt en rond, et, à l'aube, tu butes sur les chiens. Il te faut rapidement trouver ceux qui sont déjà là. Ils ne te héleront pas. Tu devras les dénicher pour être digne de leur bande. Ta vie devient celle du manicou. Bouger peu au soleil. Méfiance. Attention. Escorter les femmes dans les plus lointaines ravines pour les plants de racines à cueillir et à soigner. Reculer devant les milices errantes, les bandes de chiens sauvages, les chasseurs de primes solitaires qui hantent l'ombre des raziés

163

avec ces lézards blancs que les Caraïbes nomment mabouyas. Mais, sais-tu, quelques-uns m'ont dit l'ivresse des nuits d'attaque. Le saut sauvage vers l'habitation! Pas la petite maraude, brève, silencieuse, d'où l'on ramène des poules, quelques outils, du manioc, du sel, de l'huile, des douceurs, des négrittes. Non. Vraiment la charge hurlante sur la maison du maître quand la milice est loin. La cascade des flambeaux. Le méchant cri des flammes. Les vitres qu'enfin tu peux briser. Cet univers de meubles lustrés, de tapis, de tableaux, de napperons, de pichets, de miroirs, qu'enfin tu peux investir, toucher, dévaster. Et ces femmes blanches qu'il te faut absolument violer pour vraiment vivre? Mais sais-tu aussi, face au maître, il y a le brusque engourdissement de ton corps. La vieille crainte qui lève la tête. Moment privilégié pour te savoir nègre-marron ou pas. C'est ton coutelas qui frappe ou c'est le maître qui tranquillement te tue. Sais-tu qu'il en tuait souvent?

15 - Il faut connaître la grande marronne effectuée solitaire loin des bandes. Ceux qui avaient les jarrets coupés en parlaient au moment des veillées. Ah ces nègres-marrons du silence! Plantés comme des arbres, au plus

164

loin des raziés, ils bougeaient si peu que les araignées encerclaient leur domaine de longs rideaux crémeux. Quand on les croisait dans les bois, ils avaient le sourire triste, les gestes lents, les yeux hagards de ne pas trouver de sens à ce qui nous arrivait. Le silence leur permettait d'entendre la terre. De comprendre les feuilles. Ils soignaient les blessures des bandes et repoussaient les mapians. Ils paraissaient solides comme du bois-baume, rugueux comme des bas de falaises, bien plantés mais en dérive. C'était la plus digne des misères. Troublées, les négrittes marronnes rôdaient autour de leurs cases, ou s'asseyaient aux alentours jusqu'à ce qu'ils les appellent pour les engrosser. Les bandes s'augmentaient de leurs enfants aux regards sombres, dévastés, plus chauds et lointains qu'un souvenir du Grand-Pays.

16 - J'ai quitté les champs parce que je savais parler aux chevaux. Combien d'étalons fous, échappés dans les bois, venaient tranquillement dans mon sillon sécher ma sueur de leur museau? Combien de fois vinrent-ils s'agglutiner autour de ma case quand le gérant vidait l'écurie pour aérer, nettoyer? Quand Prêl-Coco, le vieux cocher, mourut, blanc d'âge

et de dartres, on me proposa tout naturellement sa place. Je vis désormais la misère de plus loin. J'avais la responsabilité des chevaux, des mulets, des bœufs. Les seuls animaux dont je ne m'occupais pas étaient les chiens. De plus, cocher du maître, je me déplaçais dans toutes les communes. Je connaissais les passeurs des bacs, les aubergistes, les caboteurs. Une fois même, merveille oh la la, je passai une journée sur le port de Saint-Pierre. Ma seule douleur de cette époque fut le silence qu'il fallait garder devant la mort des bêtes, sacrifiées en notre nom par les papas-feuilles. Le maître m'en voyait si triste, qu'il ne me soupçonna jamais d'y voir un sens quelconque.

17 - Je haïssais les blancs et notre misère, mais j'avais appris à aimer le maître. Je le voyais vivre tous les jours. Je connaissais ses amis, les négresses affranchies qu'il fréquentait. Je voyais ses émois quand la récolte n'avançait pas, son frétillement quand le rapport de l'économe était bon, son raidissement respectueux à l'ouverture des lettres du grand patron de France qu'il faisait lire par le comptable. Son destin semblait suspendu à ces papiers venant de France. Ces derniers

réglaient d'ailleurs la vie de toute l'habitation durant des mois. Après leur arrivée, le maître décidait d'augmenter les cadences, de nous faire passer des nuits aux champs. Ou alors de tout ralentir et d'employer la moitié des nègres des champs à la réparation des bâtiments, des outils et des milliers de cadenas. C'est vrai, je me surprenais à bien l'aimer. J'étais attentif à ses désirs. Il me parlait souvent de sa Bretagne des brumes, des plaines vertes, des petites fermes sombres (sa voix vulgaire résonne encore, grondante, aux accents paysans peu modifiés par l'exil). Chaque fois qu'il mourait (empoisonné par les papas-feuilles), la détresse m'envahissait comme s'il se fût agi de mon meilleur cheval. Je m'enfonçais alors comme un crabe dans la torpeur jusqu'à ce qu'une lettre de France le ressuscite. Tout recommençait. D'abord nos côtoiements silencieux bercés par les chevaux. Puis la subtile complicité de l'habitude, et le mélange de nos habitudes. Je me mettais à parler, à le conseiller pour ses décisions à propos des champs et des nègres têtus. Il m'écoutait, me touchait l'épaule. Certains soirs même, malgré la désapprobation de sa femme, il m'invitait à boire sur la véranda un

167

alcool parfumé qui me transportait. Peux-tu comprendre ces petites têtes de plaisir dans cette immense déveine?

18 - J'étais si lié au maître que je ne pouvais plus envisager ma vie sans lui. A l'heure de l'abolition, j'étais plus désemparé qu'une file de fourmis sous l'orage. Le maître m'aimait comme il aime ses mulets, ses champs, ses bottes. Je le compris quand il me fendit le crâne sur cette jarre. Mais, même aujourd'hui, je me souviens de lui avec presque une tendresse. Avec ce bouleversement que l'on garde au souvenir de l'ami qui a trahi. Ou qui n'a jamais été ami. Peux-tu comprendre cette vision morte que j'avais de ma vie si elle devait se continuer sans le maître? Est-ce que cela se voit encore aujourd'hui? *C'étaient les dix-huit paroles rêvées qu'Afoukal lui offrit.*)

Ces paroles résonnaient dans la tête de Pipi avec une clarté de cloches d'église. Il les percevait sans les comprendre. Au début, à chaque silence du fantôme, il implorait : Et la jarre? Afoukal, c'est vrai ce que tu dis là, mais parle-moi de la jarre! Tu peux me laisser la toucher?... Mais il oublia l'or dès la huitième parole et se laissa emporter par cette rumeur amère, ce chuchotement sinistre qui montait de sa nuit.

Vers cette époque, Pipi avait les petits yeux des insomniaques, mais le regard en bonne saison de ceux qui, pour la première fois, possèdent une mémoire. Il nous scrutait comme le font les touristes, examinait la forme des nez, le grain des peaux. Il s'intéressait à nos silhouettes et à nos déhanchements. Quelques gens du marché lui demandaient s'il n'était pas devenu macoumê (homosexuel). Sans rire de la blague, Pipi se réfugiait dans une gravité raide et murmurait en s'en allant : Congos, Bambaras, Mandingues, tous fils d'Afrique... Il rôdait souvent du côté du boulevard Alfassa, sous les façades des entreprises d'import-export où s'étaient reconvertis les békés, relevant le nom des propriétaires peints au-dessus des entrées. Quand il crut reconnaître celui du maître d'Afoukal, il fut pris de nausée. Dans un état second, il doubla le punch de midi, tripla celui de midi et quart, multiplia celui de treize heures, avant de se dresser sur sa table, soûl comme un Mexicain, pour clamer d'une gravité comique : *Messieurs, ils sont encore là!...*

Ce jour-là, nous dûmes ramener Pipi au marché. Il passa l'après-midi dans sa brouette, immobile comme les caïmans au front lisse de Guyane. Le macadam lui avait chatouillé en vain les narines. L'indicatif des avis d'obsèques ne l'avait pas fait tressaillir. Vers cinq heures, à notre demande, Elmire s'assit sur le bord de sa brouette, et lui conta une aventure de Kouli, le père d'Anastase. Après une écoute silencieuse, Pipi entama lui-même une histoire cauchemardesque. Il parla de chaînes. De cachots sans soleil où la moindre blessure devenait un pian. Du fouet. De la barre. Du collier à pointes fixé au cou par des cadenas. Il décrivit le nabot qui devait désormais hanter nos rêves, bi de fer scellé à une cheville bientôt engourdie puis défaite. Il nous fit connaître Tripe, nègre-marron capturé qui se détruisit avec tant d'application que pas un seul de ses os ne fut trouvé intact. Bordebois et ses quarante-huit nègres rebelles. Séchou, rassembleur des nègres et des Caraïbes, que l'on écartela après sa pendaison. Pipi les citait tous, et se cognait le front en maudissant l'oubli.

Curieusement, ces êtres ne nous laissaient pas indifférents. Leurs noms suscitaient de vieilles tendresses et l'amertume nous submergeait. Sirop tournoyait comme un colibri mouillé. Sifilon ramena une figure d'aveuglé. Didon se grattait la tête à deux mains en serrant les paupières. Lapochodé et Pin-Pon traquaient les chiques de leurs orteils...
– Manmay, c'est un vieux souvenir de chair qui nous fait ça..., sanglotait Elmire.
Ces révélations cueillirent nos rêves et les empoisonnèrent. Man Elo crut devoir nous préparer une tisane de citronnelle que nous ingurgitions à petites doses vers dix-sept heures, affalés sur les caisses. La reine du macadam avait blanchi, s'était ridée, et son manger autrefois si couru n'attirait guère plus que nous-mêmes djobeurs, toujours quémandeurs d'un crédit. Les nouvelles marchandes préféraient les poulets-frites des fast-food ou les hamburgers des snacks de cinéma. Quelquefois Anastase apparaissait, lui achetait quelques marinades. Oh comme la merveilleuse avait changé !... Elle avait maintenant l'allure terne des cocos secs. Man Elo, discrète, diagnostiquait à son départ : Ah ça, mes enfants, c'est un mal d'amour... Lors des venues d'Anastase, Pipi en oubliait ses obsessions, œil vif, position droite, mais

dès son départ il retrouvait brutalement ses sombres manières. Le samedi, seul jour où le marché s'ébrouait, Man Joge passait en vitesse, disait deux mots à Elmire, embrassait Man Elo, et achetait quelque cornet de poivre à une nouvelle marchande, anciennement Man Paville, qu'aujourd'hui nous appelions Odibert. Man Joge, elle ne changeait pas, toujours plus ronde, un vertige de douceur entre les paupières. Là aussi, Pipi émergeait : Comment va Ti-Joge, han?... L'énorme balançait une main en grimaçant, manière d'évoquer une grande tristesse. L'ancien facteur, toujours délirant, ne quittait plus son lit.

Or commencèrent les étrangetés, signes précurseurs du grand naufrage : Odibert la nouvelle marchande de poivre se déclara religieuse. Pipi émergea de sa rêverie distante pour s'inquiéter avec nous de la robe blanche qu'elle avait mise, de ses treize chapelets et des psaumes qu'elle récitait toutes les dix minutes. La divine et soudaine pureté d'Odibert lui interdisait de vendre son poivre aux hommes, ou de leur permettre de fouler sa portion de trottoir devant les grilles du marché. Seuls les jeunes filles, les madames, et certains pédérastes purent désormais l'atteindre...

Man Elo savait bien qu'Odibert n'avait pas toujours été marchande de poivre. Pipi, tenant la parole d'elle, nous conta cette époque de sa vie où elle s'appelait Man Paville. Elle habitait dans l'un des appartements d'Ahmed en compagnie de ses deux garçons et de sa mère, Manman-Doudou. Veuve précoce, elle avait ouvert un joli magasin d'effets mortuaires, et rien, non rien ne semblait la destiner à la vente au marché.

171

Pourtant, dès que nous fûmes déclarés Français, des entreprises de pompes funèbres made-in-france proposèrent bientôt des services complets, corbillard, mise en fosse et apparat compris. Il n'était plus nécessaire d'acheter ce que l'on pouvait louer. Man Paville vit l'arrivée des fins de mois difficiles, des factures impossibles à honorer. Les couronnes commencèrent à lui manquer. Les cordons et les fleurs artificielles de même. Elle tenta de se spécialiser dans les bougies, mais cela ne remplit pas suffisamment la caisse pour dissuader l'huissier d'opérer une saisie. Expulsée de son local, elle se retrouva avec la seule petite boîte de biscuits de ses débuts. Voulant sauver la situation, Manman-Doudou, sa mère, se déclara prête à reprendre son panier de marchande de poissons.

– Si tu fais ça, moi aussi je vais vendre, dit Man Paville.

– Tu vas vendre quoi, toi?

– Du poivre.

– Hein?! Pourquoi du poivre?

– Parce qu'on peut acheter les gros sacs pour pas cher...

Elles commencèrent une nouvelle vie. Manman-Doudou vendait à la tombée du jour des seaux de titiris (alevins) qu'un pêcheur de Case-Pilote lui fournissait. Man Paville apparut au marché aux légumes, vendant du poivre moulu en petits cornets de papier kraft. Le bruit de son moulin dérangea la léthargie ambiante, puis nous nous y habituâmes. Quand son premiers fils, Pierre, au sortir d'une réunion de la Jeunesse étudiante chrétienne où il avait rencontré l'amour, lui annonça son abandon du sentier de la prêtrise pour les champs du mariage, elle sortit son chapelet et l'enfila dans ses cheveux. Quand, deux mois plus tard, Bernard, le second, se déclara ébloui par une fille témoin de Jéhovah et annonça son mariage au temple, elle passa plusieurs jours à balbutier : Oh dis Bernard, oh dis Bernard, oh dis Bernard. Si bien que nous l'appelâmes Odibert, sœur véritable par sa déveine. Quatre mois après, au plus exact, elle arriva vêtue de blanc, son tray de poivre couvert des treize chapelets, et sans plus de manière se sacra religieuse.

Le cas Odibert intéressa Pipi durant quelques semaines. Il gara désormais sa brouette à proximité du phénomène et l'observait à loisir. De temps en temps, Odibert l'accablait d'un ouélélé de jurons et de diverses malédictions pour le forcer à détourner son regard, puis elle reprenait les grattouillements des chapelets et le murmure brûlant de ses prières. Bientôt la religieuse fit partie du décor et Pipi, comme nous, s'en désintéressa. Il recommença ses errances de mangouste en travers du marché, ses chutes cataleptiques au fond de sa brouette. Quelque temps après, ses yeux rapetissés du matin furent le signe qu'il recommençait aussi à fréquenter l'endroit maudit où Afoukal protégeait une jarre d'or, mais pièce personne ne put rompre son silence sur ce qui s'y passait. Certaines après-midi, il lavait à grande eau sa brouette et passait le reste du temps, jusqu'aux djobs des départs de marchandes, à la frotter de graisse de bœuf. Il n'émergea de son mutisme amer que l'après-midi où Odibert apprit sa propre mort par les avis d'obsèques. Nous étions tous en cercle autour du transistor, frissonnants à l'écoute de la liste des morts, quand hébin ! hébin ! hébin :
— Les obsèques de Mme Paville Elyette, surnom-

mée Odibert, membre de toutes les confréries de l'église...

A l'annonce de son nom par le speaker mortuaire, Odibert rangea tranquillement ses affaires, ses cornets de poivre dans un sachet de Prisunic, enveloppa sa boîte de fer-blanc avec des chiffons et disposa le tout dans son panier. Elle plia le support de son tray, se redressa, lissa sa robe de religieuse, murmura une prière méconnaissable et, chapelets autour du cou, se dirigea vers la fontaine avec tous ces bagages, suivie de nos regards douloureux. La suite devait être phénoménale...

A la fontaine, Odibert se pencha pour intercepter de ses lèvres le jet tranquille. Autour d'elle, le marché se tenait silencieux et pétrifié. Dès la première gorgée, la religieuse prit l'aspect trouble des pluies froides de décembre, puis le flou des horizons quand le soleil ramasse ses dernières affaires. A la deuxième gorgée, elle ondula comme un film abîmé et saisit dans un coin de la fontaine une poignée de poussière où ses yeux cherchèrent désespérément quelque chose. Enfin, comme quand le sable sec se désaltère, son corps fut enrobé d'un bruit de friture jaillissant d'un millier de petits trous. Nous la vîmes poussière lumineuse et innombrables bulles gazeuses. Quand elle disparut totalement, un silence incrédule permit au roulement de gorge du robinet de reprendre le dessus. Le marché chargea une fièvre durant un jour et demi. Pipi donna du vocal avec nous. Poings à la taille, les marchandes se penchaient au-dessus des paniers pour bien tout expliquer. La curiosité ramena ses enfants et les acheteurs se firent nombreux. Quinze cents quimboiseurs vinrent des campagnes pour recueillir dans d'étranges carafes l'eau du robinet, que le maire de la ville dut interrompre tant son utilisation démesurée menaçait l'équilibre du budget municipal.

Ancrage dans la clairière maudite. Pipi reprit ses visites nocturnes au domaine d'Afoukal. Plaqué au sol, il raconta au zombi notre vie de l'époque. Les petits événements du marché. Il lui parla de la mort d'Odibert, de l'araignée de Chinotte et d'Adeldade Nicéphore l'orfèvre miraculeux. Il lui parla de la venue de son père dorlis en plein jour du marché, de Kouli le maître du laghia, de l'étudiante révolutionnaire qui nous distrayait, de l'igname impossible de cent vingt-sept kilos, des voyages d'Elmire. Il lui parla du grand incendie de la ville qui nous servait de repère pour le temps, du nègre Béhanzin que l'on disait pourtant roi. Il lui parla de tout et de tout, et lui apprit même, dit-on, le maniement de la brouette et l'angoisse de la construire. Cela intéressait le zombi d'Afoukal, et les cliquetis d'os qui signalaient son rire ou son contentement grimpaient comme des ouistitis libérés, par les racines. Une curieuse complicité s'établissait ainsi entre le vivant et le mort. A bien des égards, elle ressemblait à celle du nègre Phosphore et de son fils avec le peuple des caveaux de leur cimetière. Peut-être notre vie de mort naturelle en fut la cause essentielle. La chaleur de Pipi transmise à la clairière réchauffait les os glacés d'Afoukal. Dans la clairière, il perdait conscience du monde et se découvrait à l'aube, toujours avec surprise, à moitié dévoré par les fourmis rouges, détrempé par une averse de minuit, ou agrippé des premières racines d'une liane parasite. Leur intimité devint si étroite que bientôt Pipi ne redescendit même plus en ville, délaissant les djobs et sa magnifique brouette. L'aube ne chassait plus la jarre vers les profondeurs terrestres et Pipi ne se soulevait plus du creux où il se vautrait. Sa disparition du marché nous plongea dans la consternation. Rien n'est plus affreux pour un djobeur qu'une brouette abandonnée. Fleur fragile, elle se fane là même, brouille son éclat, tasse son allure, appelle poussières et taches. Pour qui sait entendre, la brouette gémit. C'est dire notre état devant celle de Pipi, délaissée à l'entrée du marché. Sans l'avoir cherché, nous le savions ancré au royaume du zombi à la jarre d'or. Nous prodiguâmes à la brouette les soins nécessaires au ralentissement de sa ruine.

La rumeur disait que Pipi parlait à la terre de sa clairière maudite, buvait l'eau des pluies, s'alimentait de merles grillés sans sel et sans piments. Son chapeau touchait maintenant ses yeux. Les poils de son menton demeuraient au garde-à-vous. Il était devenu maigre comme un jour sans pain, et son regard conservait la fixité de celui d'un fils de Colson. Il ne quitta plus la clairière durant une charge de temps qu'Elmire nous chiffrait avec plusieurs calendriers. Quand les pluies et les coups de soleil dispersèrent ses vêtements, il se couvrit de feuilles de cocotier tressées. Bientôt, il ne demeura du Pipi que nous connaissions que le bakoua, indestructible et noirâtre, déformé par des poussées de cheveux libres. Ses jours étaient consacrés à parler au zombi et à l'écouter. Refusant de se mettre debout, il rampait pour piéger ses merles à la colle fruit-à-pain, ou au nœud coulant, et ne s'accroupissait que pour ses besoins derrière un mur de cabouyas. Sous pluies et rosées, il se désaltérait renversé sur le dos, bras et jambes écartés. Le reste du temps, à plat ventre, son corps dialoguait avec le zombi. Une tribu de rastas* qui réinventait notre vie à quelques pas de là lui amenait des carreaux de fruit-à-pain, des bis de patates, des morceaux de poissons. Les rastafariens ne lui adressaient jamais la parole, mais s'asseyaient souvent en cercle autour de lui pour fumer leur herbe divine dans une tentative de communion respectueuse. Cette chair qui les surpassait dans le rapprochement avec la terre, mère universelle, les impressionnait. Traquée par la police pour ses plantations de cannabis, la tribu s'enfonça dans les bois, sans laisser de traces sur les feuilles, mais en ayant pris soin d'abandonner dans la clairière plusieurs calebasses de fruits, quelques patates douces et trois plants d'igname sauvage.

Parfois, en compagnie de Man Elo, nous le visitions. Son accueil était d'une froide indifférence. Sans un regard à nos victuailles, il nous dévisageait avec une intensité insupportable, avant de clamer ses : Aaah voilà un Congo... Lui c'est un Bambara, dis donc... Roye roye mais c'est un Mandingue, qu'est-ce que tu dis de ça?... Ses propos délirants, sa triste indifférence, sa manière d'avaler nos vivres sans le merci et sans le travail des dents, et surtout son inexplicable dédain pour les bouteilles de rhum offertes qui s'entassaient au soleil jusqu'à l'explosion, nous précipitaient dans une senne de tristesse comme un banc de titiris travaillé par la lune, piégé par le courant.

Quand les merles désertèrent l'endroit et que nous perdîmes le goût des visites, Pipi se nourrit, dit-on,

---

* De Ras Tafari, titre porté par Hailé Sélassié – Mouvement à la fois mystique, politique et culturel, venu de la Jamaïque, qui séduit actuellement beaucoup de jeunes Martiniquais...

d'herbes grasses mâchées avec une placidité de rumi-
nant. Cette nourriture insolite l'affligea des trembla-
des de la faim et il dut se rabattre sur les abeilles, les
anolis, les punaises, les libellules, un peuple d'insectes
et de bestioles qu'au début il grillait légèrement mais
qu'il finit par avaler glouque! d'une manière souba-
roue inusitée des bêtes, même des chiens. Les moustiques lui parlèrent de la vie. Sa peau se couvrit de
boutons. Puis de squames. Enfin, elle se mua en une
couenne indéfinissable, répugnante à la lumière mais
moelleusement luisante dans le noir. Bien entendu, le
phénomène déclencha le vocal à son propos. La
parole en fit un papa-quimboiseur, et là même des
foules furtives quittèrent cases et villages pour le
consulter à la nuit tombée, sur les divagations de
notre vie. Cette audience quasi religieuse sembla
l'amuser. Les gens s'arrêtaient à une centaine de
mètres de la clairière et se désignaient pour approcher à tour de rôle le papa-bête-à-feu et lui quéman-
der une séance :

– L'ingrate est partie, elle m'a laissé trois petites
personnes, oui! Tu peux la faire dévirer, han?

– Papa ho, tu sais le bon numéro pour la loterie des
gueules cassées?

– J'ai une misère qui a pris pied sur moi et je ne
me sens plus vaillant comme avant, est-ce que tu
peux m'enlever cette malédiction-là, papa?...

Malgré les réponses insensées de Pipi, la clairière ne
désemplissait pas. Les consultants, travaillés d'une
générosité nullement gratuite, arrivaient chargés des
offrandes-à-sorciers : coqs noirs et poules blanches,
bougies Saint-Antoine, jambons de cochons-planches
albinos, canaris de pois puants, eau bénite et médailles de Sainte Vierge, tibia gauche d'un couillon cal-
ciné à Saint-Pierre, cheveux de jeunes filles vierges,

gouttes de la sueur nocturne d'une négritte en cauchemar. Cela se mélangeait aux simples victuailles dans des entassements qui encerclaient le corps luisant de Pipi. La clairière ressembla bientôt à l'entrepôt d'une épicerie chinoise, et le vent y souleva des effluves d'égouts qu'exhalait le manger délaissé, pourrissant. Car Pipi continuait à mâcher ses herbes grasses, affairé dans l'osmose entre son corps lumineux et la terre battue qui reproduisait fidèlement la topographie de ses reptations. Quand la procession de ses fidèles troubla sa quiétude au point de ne plus l'amuser, il accueillit toute intrusion dans la clairière avec un chapelet de malédictions, de Manman par-ci, de Manman par-là. L'endroit fut vite déserté des gens normaux. Seuls quelques têbês, fils de Colson en dérade, engagés déraillés par leur contrat avec le diable, affrontaient encore ses vociférations haineuses pour lui soumettre une douleur de la vie. Les autres stoppaient à quelques dizaines de mètres, derrière un rideau de fougères, et tentaient à l'aide de prières spéciales cher payées auprès d'un séancier de seconde zone d'obtenir une guérison à distance. Les autorités s'émurent de ce mouvement nocturne de foule quand le quotidien *France-Antilles* titra à la une : *Quimbois dans la forêt de Tivoli.* Un substitut du procureur de la République, amateur de sorcellerie, se déplaça personnellement afin de lonviyer l'événement à la faveur d'une pleine lune. Autre fait extraordinaire, FR3 délaissa au cours d'un journal télévisé ses dossiers sur la neige des Alpes et le bouleversement des saisons dans le Bassin parisien, pour retransmettre durant sept secondes l'image du sorcier dans sa fabuleuse clairière. Pipi fut transporté trois fois de suite à l'hôtel de police, et dut à chaque fois être ramené dans les bois car ses arrestations rameutaient toutes qualités de politiciens autonomistes, indépendantistes, et autres modèles de nègres exaltés, qui en avaient fait, disaient-ils, *un symbole de la dégradation de l'homme antillais sous le régime colonial*. Ils avaient d'ailleurs investi la clairière en grande pompe, drapeau et tambours gwo-ka, pour rallier de manière patente le symbole à leur cause. Mais le symbole les avait accueillis par un tir de débris innommables et tant d'et cætera manman, et cætera manman, qu'il leur parut préférable de le laisser symboliser à son insu, sauvagement, mais en toute liberté. Depuis, Pipi connut dans sa clairière l'absolu des solitudes.

Les lueurs de sa peau attiraient des papillons nocturnes. Ils voletaient autour de lui avant de s'agripper à son boubou de feuilles tressées qu'ils ne quittaient plus, même quand émergeait l'aube mouillée. Couverte de ces écailles ternes aux dessins géométriques, frémissantes avec la nuit et le curieux réveil de l'épiderme luisant, la silhouette de Pipi se faisait monstrueuse. Il fournissait de moins en moins d'efforts et, pour manger, se contentait d'avaler des poignées de papillons. Ce régime lui infligea des douleurs abdominales, des fièvres, et un dérèglement nerveux qui l'agitait comme une épilepsie. Une vieille faiblesse vint l'habiter et il s'étala dans la clairière comme une tache. La lumière de sa peau et les papillons s'en allèrent. Soleil. Pluies froides. Sa respiration devint sifflante. Un étau emprisonna sa poitrine. Des courbatures naviguaient dans son corps. Il épuisa toutes les espèces de toux avant d'être secoué de quintes douloureusement silencieuses. Seules des extrémités du délire lui arrachaient parfois des sons rauques de chiens ferrés. Sa vie chancelait comme une bougie de cimetière aux ultimes heures de la Toussaint, quand surgit Marguerite Jupiter, grosse chabine propriétaire d'une case des environs. Elle cherchait dans les sous-bois la sauvageonne igname nommée Sasa, en vue d'améliorer un canari, et s'était fourvoyée à son grand désespoir dans la clairière maudite. La découverte du corps délabré libéra toute sa miséricorde. Elle le chargea sur ses épaules pour le ramener là même dans sa case, d'où elle dépêcha deux de ses seize garçons à la recherche d'un papa-feuilles. En attendant, elle lui infiltra entre les dents des tisanes d'herbes-à-tous-maux recueillies derrière la maison, et frictionna sa peau boursouflée de rhum camphré, malgré ses hurlements d'agonie. Affolée par l'irritation qui en résulta, Marguerite Jupiter le massa longuement avec l'huile d'avocat qu'elle utilisait d'habitude pour assouplir ses épaisses nattes. Cet enduit apaisa l'écorché qui plongea soudainement dans l'abîme des rêves, la respiration sifflante et oppressée.

Guidé par les garçons, le papa-feuilles arriva lorsque la nuit sortait ses premières ombres. C'était un nègre sans âge, mince et solide comme une liane, qui vivait loin des gens, élucidant sans relâche les inépuisables secrets de son monde végétal. Dépositaire d'une science dont il avait oublié l'origine, le papa-feuilles quittait sans attendre ses arcanes d'herbes pour répondre aux appels de détresse de ceux qui se méfiaient encore des nouveaux sorciers de la Faculté de médecine de Paris. En découvrant sur le lit de Marguerite Jupiter le corps décalé du grand sorcier de la clairière maudite (celui qui brillait comme une lampe Coleman, domestiquait les papillons de nuit), le papa-feuilles se sentit défaillir. Pour soutenir son cœur, il dut sucer une écorce inconnue qu'il coinça en tremblant sous sa langue devenue sèche. Avec des pâtes de feuilles violettes, des tisanes d'herbes rouges, des bouillons de végétaux gras, des soupes aux parfums de savanes, des tiges de bois-vert à mâcher, des sachets gorgés de pétales inconnus glissés entre ses dents, des rondelles de racines fondantes comme des hosties, des bains interminables dans des décoctions de jungle, des spaghettis de lianes, il remit l'ancien roi des djobeurs sur pied en moins d'un mois. Malgré l'insistance de Marguerite Jupiter, il avait installé ses affaires à la belle étoile, dans une ravine proche de la case, et dormait sur une paillasse de feuilles de bananier fraîches. Les pluies de nuit était stoppées au-dessus de son sommeil par un subtil agencement de fougères arborescentes, qui pourtant ne cachait pas les splendeurs de notre ciel étoilé. Fascinés, les seize garçons Jupiter le suivaient dans tous ses déplacements. Leurs yeux d'enfants distinguaient des choses invisibles aux porteurs de raison raisonnante : le bruissement de feuillages qui auréolait ses gestes, par exemple, le rythme de ses membres, identique à celui des branches d'un fromager, ses immobilisations inaltérables, où il acquérait soudainement la majesté d'une falaise de Grand-Rivière, ou encore sa disparition immédiate lorsqu'il atteignait un sous-bois de raziés, et, enfin, ses réapparitions timidement désolées quand il se signalait à l'abord des enfants éplorés de l'avoir vainement cherché durant une charge d'heures.

Avec des sourires d'excuses, le papa-feuilles venait gratter à la porte de la case quand la hauteur du soleil empochait toutes les ombres, et demandait la permission de visiter son patient qu'il traitait comme une plante : un peu de soleil sur la poitrine, un petit arrosage d'eau tiède sur la tête et les chevilles, un petit temps d'aération pour se refaire la sève. Il força Pipi, comme d'ailleurs tous les enfants Jupiter, à respirer d'une manière curieuse où le ventre agissait comme une pompe. Assis en cercle à quelques mètres de la case, dans un endroit où le vent coulait bien, Pipi et les garçons Jupiter devaient s'oxygéner ainsi chaque jour pendant une heure, au bout de laquelle ils s'abattaient dans l'herbe, ivres d'on ne sait quoi, heureux comme des colibris fous.

– C'est du rhum, hurlait Pipi, mais c'est du rhum!...

– Exact, gloussait le papa-feuilles, c'est le punch de l'air...

– Comment fais-tu pour respirer comme ça en permanence sans t'étourdir? s'étonnait Pipi.

Le nègre sans âge détournait timidement le regard, baissait le front et, agité d'une joie silencieuse qui semblait le forcer à se gratter la tête, répondait avec l'intonation d'un secret divulgué :

– Est-ce que le rhum soûle le rhumier? Et que peut faire le vent à moi, rhumier des quatre vents?

Pipi n'était pas son seul patient. Il soignait les dartres des enfants Jupiter avec des jus de carotte bus le matin à jeun, des applications hebdomadaires de citrons-pays, de cressons-savanes écrasés, d'une pâte de pois d'angole additionné d'alcool, et d'une lotion de bois-canon. Il réduisit leurs bronchites chroniques par des infusions de tabac-à-jacquot, un sirop de zêbes-à-charpentier, du lait et de l'ail écrasé bouillis ensemble. Avec des fleurs de sureau, des feuilles de manguier, de marie-dèyè-lopital et de verveine caraïbe, il concoctait chaque dimanche des bains tièdes, toniques et fortifiants, où les garçons s'ébattaient bruyamment. Ils en ramenèrent là même une bonne couleur de santé. Leur mère en pleura de bonheur :

– Papa-feuilles, ho Papa, tu es un genre de bon dieu, répétait-elle.

– Mais Madame Jupiter s'il te plaît, protestait l'homme des bois, un vieux nègre comme moi ne peut pas être un bon dieu...

– Qu'est-ce que tu es alors, mais quoi Papa?

– Oh rien, un ti-compère des feuilles, un ami des arbres...

Marguerite Jupiter elle-même se vit soigner son hypertension avec des tisanes d'herbes couresses et de totottes fruit-à-pain. Sa mauvaise haleine fut chassée au jus de carotte et d'épinards-pays, et aux feuilles d'eucalyptus qu'elle dut mâcher toute la journée. Ses hémorroïdes rebelles lui donnèrent un soulagement grâce aux lavements de campêches et aux bains de siège d'écorce de cachiman cœur-de-bœuf. Et elle vit disparaître une vieille angoisse nocturne à la dixième infusion des feuilles du basilic. Les semaines filèrent ainsi. Pipi se remettait doucement, et la famille Jupiter, revigorée, découvrait les merveilles d'un corps en santé. Le papa-feuilles demeurait persuadé que Pipi était un redoutable sorcier. Il se présentait devant lui plein d'humilité, empreint d'une dévotion extrême, et demandait toujours la permission avant de lui prendre le pouls ou d'écouter la musique de ses poumons. Pipi avait maintes fois tenté de lui enlever cette idée du crâne : Mais, Papa, cesse de me traiter comme ça, je suis un simple djobeur de marché, un rouleur de brouette, le respect c'est moi qui dois te le charroyer... Mais il demeurait silencieux, ou riait doucement comme un simplet avant de déclarer d'un ton de reproche sincère : Seigneur la Vierge, eh bien bon dieu Monsieur Pipi, fiche que tu dis des bêtises... Vers les derniers jours de sa présence, alors qu'il examinait chaque centimètre de la peau de Pipi, ce dernier lui demanda :

– Papa, d'où vient ce que tu sais?...

– Oh la la, Monsieur Pipi, qui peut savoir? Je sais ce que mon défunt papa savait, et lui-même disait ne rien savoir d'autre que ce que savait son père...

Il semblait véritablement dérouté par la question. Chercheur désespéré d'une bonne réponse, il plissait son petit front, embrumait ses yeux liquides.

– Comment, Monsieur Pipi, comment peut-on savoir d'où viennent les choses? L'herbe monte des racines, mais d'où viennent les racines? Les racines sortent de la graine? Mais la question est : d'où vient la graine, et la graine de la graine?

– Moi, je sais d'où vient ta science, je sais, Papa...

– Ah bon, dit-il d'un ton admiratif, alors dis-le-moi, Monsieur Pipi...

– Du pays d'où viennent les nègres d'ici...

– Je sais que la terre d'ici nous est étrangère, elle me le dit tout le temps, mais sais-tu d'où nous venons?

– D'Afrique...

La réponse ne suscita aucune lueur dans les yeux de l'homme des bois. Il replongea dans ce silence qui l'emmenait-aller loin de ce monde, et continua son minutieux examen de la peau de son patient.

– Tu es paré, dit-il enfin.

Quand Pipi retrouva, quelques jours après, l'exacte couleur terre-fraîche des nègres bien portants, le papa-feuilles ramassa ses affaires et s'en alla en refusant le poulet que lui proposait Marguerite Jupiter.

Pipi tenta de le rattraper, mais il disparut dès les premiers raziés.

– Merci Papa, hurla-t-il malgré tout dans le bas-bois, tu peux compter sur moi à présent...

Pipi ne savait pas qu'il avait été entendu. Cette simple reconnaissance de dette de la part d'un si grand sorcier avait définitivement plongé le papa-feuilles dans la béatitude. Pipi le revit une dernière fois, quelques jours plus tard, germé sans annonces d'une chevelure de fougères, pour lui demander de sa voix de nègre sans prétention :

– Scusez, Monsieur Pipi, mais où, où c'est l'Afrique ?

Il y avait comme un trouble dans son regard, la trace d'une tranquillité désormais remuée. Il couvrait Pipi d'une dévotion béate, semblant attendre de lui une ouverture du ciel. Bien sûr, comme nous tous à cette époque, Pipi ne put répondre hak à la question posée.

Migan d'amour avec Marguerite Jupiter. Pipi sur pied, Marguerite Jupiter empoigna une paire de ciseaux et lui fit une coupe de cheveux. Avec un couteau-chien, puis un éclat de bouteille, elle lui racla les joues. Avec son coutelas, elle lui tailla les ongles. Avec une brosse à dents, elle décolla les petites croûtes qui émaillaient son visage. Enfin, elle entreprit de le gaver de fruit-à-pain, de bonites en court-bouillon, de riz-pois rouges à la viande salée, de tous les trésors qu'abritent les canaris d'ici quand la famine n'est pas de visite. La malheureuse (Pipi ne le sut que plus tard) couvrit pour cela huit carnets de crédit. Cette dette colossale lui fit oublier l'adresse du débit-de-la-régie où elle s'approvisionnait, et, même, délaisser les sentiers qui s'en rapprochaient à moins d'un kilomètre. Armé d'une bouteille d'acide, l'épicier prit la case d'assaut un dimanche soir, en hurlant : Lajan-mwen lajan-mwen lajan-mwen! (Mon argent!) L'apparition de Pipi sur le seuil brisa net son balan mais ne l'empêcha nullement d'asperger la maison d'une giclée d'acide, ni de menacer Marguerite Jupiter qui le toisait depuis l'une des fenêtres. Après cet incident le menu redevint maigre : ti-nain le matin, ti-nain à midi, ti-nain le soir. Les variantes allaient de l'igname sauvage aux fruits-à-pain dérobés à quelques lieues de là dans le verger d'un fonctionnaire, par le huitième des seize garçons de la chabine. Cela suffit tout de même à Pipi pour gagner quelque graisse, arrondir les saillies de ses os, et retrouver, tonnerre du sort, le goût du koké. Car Marguerite Jupiter le trouvant beau, son odeur et sa présence l'agitaient de frissons. Elle l'avait couvé durant son agonie; favorisant son ancrage dans la maison sous la seule exigence d'un tréfonds de sa chair. Les mots *clairière* et *jarre d'or* étaient interdits aux enfants. La chabine s'ingénia à le soûler de paroles inutiles, à lui interdire toute solitude, de peur que la fièvre de l'or ne le reprenne. Efforts inutiles, car la jarre et la clairière avaient quitté les pensées de Pipi, rien ne subsistait de son ancienne obsession. Il se comportait comme une yole neuve sur l'éternel fracas des marées de la vie : le regard net, la voix claire, le geste précis de ceux qui savent où ils en sont, ou qui ne s'en font pas un problème. L'existence dans la case Jupiter, le piaillement des enfants, les prévenances de la grosse chabine et ses regards enveloppants, le remplissaient d'une quiétude où nul terreau n'était possible à la fleur du partir. Dès le début de sa convalescence, Marguerite Jupiter avait repris son lit, et lui avait aménagé une paillasse dans un coin de l'unique pièce où elle demeurait ouverte. Celles des enfants étaient roulées et cachées sous le lit dès l'annonce du soleil. Les cloisons étaient tapissées de journaux où des blancs magnifiques étalaient leurs visages. Une ampoule pendouillait au plafond d'aggloméré qui théoriquement devait stopper la chaleur tombant des tôles. Chaque cloison possédait une fenêtre et le vent passait bien. Le reste : une table, trois tabourets pour les plus grands des enfants, une chaise pour Marguerite, un lit pour Marguerite, deux lampes à pétrole, un réchaud à gaz, quatre casseroles d'aluminium, quelques plats en fer-blanc. Vêtements et linge de maison s'accrochaient à des clous dans un angle de la pièce, sous un rideau de toile cirée. Les douches se prenaient dehors à la fontaine. Un trou abrité du vent recevait les excrétions naturelles. Le soir, tables et chaises entassées, les paillasses des seize garçons couvraient le plancher. Cinq petits corps séparaient Pipi du lit de Marguerite Jupiter. De sa place, il devinait les contours appétissants de la jeune femme. Ses incessants changements de position signalaient une nervosité comparable à la sienne. N'y tenant plus, il enjamba une nuit les cinq petits obstacles au sommeil paisible, et se pencha au-dessus du lit de la femme désirée. Des bras vigoureux le plaquèrent contre les rondeurs impatientes d'une chair volcanique : Eh bien Pipi depuis le temps dis donc que je t'attends...

Désormais, dès la levée du feuillage respiratoire signalant le sommeil des seize négrillons, Pipi et Marguerite plongeaient à corps perdus dans le seul bonheur ici-bas des sarcleurs de la dèche. La belle avait connu une vie amoureuse agitée. Parmi la vingtaine de ses concubins épisodiques, cinq plus fréquents que les autres pouvaient être considérés comme géniteurs des seize garçons. Ils n'avaient pas donné signe de vie depuis l'arrivée de Pipi. Persuadés de la brièveté substantielle du commerce de l'amour, ils attendirent que Pipi s'en aille de lui-même. La case de Marguerite Jupiter fut donc placée hors du circuit de celles où ils séjournaient sporadiquement pour soulager leurs glandes. Mais la chose s'éternisa, provoquant un trouble dans leurs habitudes sexuelles. C'est pourquoi, sans se concerter, les cinq concubins se mirent à rôder autour de la case, guettant de derrière les raziés dans le but de repérer celui qui brisait ainsi les règles du jeu des femmes, dénaturait l'amour en prenant pied comme les blancs dans une seule case. Sans se douter qu'ils étaient ainsi guettés, Pipi et Marguerite passaient des nuits sportives dans un amour sans chaînes. Abreuvé d'une décoction de bois-bandé, Pipi besognait ferme, presque enseveli dans les bourrelets généreux de son amante. Quand le vieux lit créole, faiblissant sous ces tendres laghias, grinça au point de réveiller les enfants, le couple quitta la case pour expérimenter sous le ciel étoilé, appuyé contre les façades, les piquets du poulailler ou les tôles du parc à cochons, les gymnastiques de l'amour vertical. Bientôt, ils s'abattirent dans l'herbe, roulèrent dans les ravines, et durent même, une nuit où des fourmis rouges couvraient mystérieusement la terre, grimper à un manguier. Là, sur la branche maîtresse, ils se livrèrent jusqu'à l'aube à des acrobaties charnelles tellement périlleuses que les cinq concubins guetteurs en oublièrent leur ressentiment pour se faire durant quelques heures admiratifs et même supporters. A la belle étoile, loin des enfants, Marguerite poussait des cris hystériques, agonisait et mourait chaque nuit sous les charges du plaisir.

189

Quand, trahi par ses forces ou par un bois-bandé de mauvaise qualité, Pipi retombait flasque, à moitié évanoui, l'énorme amante le secouait derechef, et courait chercher une des carafes de produits aphrodisiaques que tous ses concubins connaissaient bien. Il y avait la carafe où macéraient dans du vin blanc quelques graines d'avocat, celle des racines de céleri, celle du jus de tomates additionné de ginseng, celle des grains de poivre et du rhum vieux, celle des bananes vertes boucanées conservées dans du miel, celle de cœur d'ananas, celle d'oranges sures et d'herbes-à-charpentier. Il y avait cette carafe magique qui recelait une liqueur des feuilles, fleurs, fruits et tiges de lysimaque, placée sur le toit sous les pluies et le soleil. Il y avait enfin celles de bois-flot, de racines de paproka, de vanille râpées dans du samos. Pipi dut les expérimenter toutes, avec des fortunes diverses. Il profitait des journées de travail de Marguerite pour dormir et se refaire des forces. Elle revenait en fin d'après-midi, préparait un maigre souper et fourrait les garçons au lit après avoir attendu, pleine d'impatience, que les plus grands aient achevé leurs devoirs. La vie aurait pu s'écouler aussi douce et tranquille si les cinq concubins unis par leur cause, la mesure de leur adversaire étant prise, ne s'étaient résolus à placer un milieu dans cet amour immoral.

N'osant attaquer de front celui qu'ils considéraient comme un méchant quimboiseur, les bougres dépêchèrent d'abord deux d'entre eux, dans l'espoir du compromis. Après le départ de Marguerite Jupiter, ils demandèrent aux enfants toujours présents de réveiller Pipi.

– Laisse-la-nous le samedi et le dimanche, garde-la pour la semaine...

Pipi se montra intraitable, même méchant :

– Bandes-chiens, isalopes sans baptême, on n'est plus dans les cases d'esclaves quand même, tout de même, oh la la!...

Cette attitude, ces invectives incompréhensibles dégoûtèrent les concubins. Ils se mirent à lancer chaque nuit une charge de pierres sur les tôles de la case en hurlant : Pa koké la, pa koké la, pa koké la! (Ne faites plus l'amour!)... Cela jetait l'effroi parmi les enfants, éteignait les ardeurs de Marguerite Jupiter. Forcée à l'abstinence, la chabine devint nerveuse et pleurait pour un rien. Quand une des pierres brisa la carafe de lysimaque posée sur le toit, elle hurla comme une folle, saisit son coutelas et sortit dans la nuit. Les concubins introuvables, sa rage impuissante se déversa sur le tronc du manguier qu'elle taillada profond. Une autre fois, une pierre mal lancée brisa une persienne de la fenêtre et blessa légèrement un des garçons à la tête. Enfin, les concubins incendièrent le poulailler et libérèrent le cochon-planche. Pendant que Pipi le poursuivait dans les raziés, ils jouèrent à cache-cache avec Marguerite Jupiter éplorée qui tentait vainement d'en découper un. Une nuit, Pipi les guetta. Lorsque leurs ombres glissèrent dans le sentier, il sortit de la case revêtu d'un drap blanc, une bougie allumée collée sur son bakoua.

– Malédiction sur vous, misérables, vos graines vont sécher, vos lolos (pénis) vont rancir, vos graines vont sécher, vos lolos vont rancir, vos graines...

Cette perspective épouvantable, la vision de leurs fondements ainsi atteints, la réputation de Pipi comme papa-quimboiseur, versèrent flap-flap les concubins dans l'horreur véritable. Il y eut dans la nuit des piétinements de feuilles, des glissades, des prières implorantes, des chocs sourds contre les troncs, des gémissements qui allèrent s'amenuisant. Les cinq hommes vécurent désormais avec la crainte que la malédiction ne s'avère. Ils portaient des caleçons mouillés d'eau bénite et, sacrilège Jésus-Marie-Joseph, un chapelet entortillé sur le membre visé. Tout à leur épouvante, ils oublièrent définitivement Marguerite et Pipi.

Le jardinier-miracle. Marguerite Jupiter travaillait dans un collège d'enseignement général des Terres-Sainville. Le jour, elle s'y occupait de la cantine; le soir, du ménage. Elle prenait chaque jour le car de sept heures trente et réapparaissait aux environs de dix-neuf heures. Six des seize garçons étaient scolarisés, et s'en allaient toute la journée. Pipi demeurait à bord de la case en compagnie des dix autres, plus ou moins affamés et toujours très plaintifs. Le régime des ti-nains quotidiens ne leur réussissait pas très bien. Les rares boîtes de lait en poudre ou les steaks que ramenait leur mère, divisés en dix-huit parts, ne nourrissaient personne. Lestés de bananes vertes, les ventres gonflaient et les corps juvéniles perdaient de leur tonicité. Pipi lui-même, dont l'activité nocturne exigeait une puissante énergie, sentait se dissoudre la vigueur que lui avait ramenée le papa-feuilles. Pour améliorer l'ordinaire il se mit à travailler au jardin potager d'où Marguerite tirait ses piments, ses citrons pour les punchs, les diverses fleurs-herbes-graines de ses préparations aphrodisiaques. Elle en ramenait aussi quelques entortillements de cresson, une ou deux salades maigres en fonction du hasard et, deux fois par an, quelque igname miraculée plus ou moins mal venue. Révolté par la misère de cette famille, Pipi travaillait le petit jardin avec une rage sourde. Il sarclait, décimait les insectes amateurs de racines, repoussait les limites du jardinet en brûlant des raziés. La marmaille lui apportait dans cette tâche une aide joyeuse et désordonnée, mais suffisamment efficace pour dégager rapidement un espace cultivable derrière la case. D'une tribu de rastas découverte par hasard dans un fond de bois, il obtint des plants de patates, d'oignons-pays, trois bananiers, deux têtes d'ananas, quelques tiges de pois et, Dieu les bénisse, un plant de fruit-à-pain qui devait, hélas, être incendié à l'heure des premiers fruits. Le jardin mis en ordre, copieusement planté, Pipi le délaissa pour le reste de la maison. Il restaura le parc du cochon-planche et lui ajouta un canal d'évacuation. Les caloges des rats d'Inde, des deux poules et du vieux lapin furent remises sur pied, et même largement agrandies. Il mit un loquet à la porte. Il construisit une autre table, treize tabourets, un petit placard pour ranger les plats. Il sépara le lit de la chabine du reste de la pièce, par un panneau de feuilles de cocotier tressées. Ces multiples aménagements permirent à la famille Jupiter de vivre plus convenablement sans pour autant quitter le panier de la misère. Le temps passait, passait, passait, il passait tellement que souvent il repassait. Pipi atteignit ainsi une période de relative inaction. Le jardin levait déjà les petites têtes des germes. L'arbre-à-pain entamait sans faiblesse la longue course des pié-bois vers le ciel. La case mieux agencée, ses alentours sarclés, sablés, rangés signalaient la présence d'une famille en bonne lutte contre la déveine.

Aux enfants qui demeuraient en sa compagnie durant le jour, Pipi contait ses histoires d'esclaves, citait des noms et des lieux. Il leur décrivait l'ancienne vie des habitations maintenant déglinguées, les héroïsmes sans histoire des nègres, négresses et négrillons dans le plus terrible des tiroirs de la vie. Yeux agrandis, les enfants buvaient ses paroles et, quand il leur en donnait le signal, l'accablaient de questions : C'est des chaînes de bœufs ou des chaînes de cabris qu'ils avaient aux pieds? Mais Manman disait que les nègres-marrons étaient malfaisants?... Le soir à table, devant la soupe-de-pieds, Pipi reprenait ses histoires de la grande nuit. Trop sensible, Marguerite Jupiter sanglotait sans retenue. Les enfants, fauves cruels, se délectaient à l'écoute des tortures ou des abîmes de détresse, et dansaient frénétiquement quand Pipi, ses effets soigneusement dosés, assassinait le méchant maître et dévastait l'habitation...

Un jour, trop semblable aux autres pour ne pas être différent, le destin de Pipi amorça une nouvelle tracée. Comme d'habitude, tranquille le chat, il s'était allongé derrière la case pour reposer ses reins de sa frénésie nocturne. Marguerite Jupiter était partie depuis longtemps, et les dix enfants, assis autour de lui, voulaient encore savourer les exploits de Séchou. Pipi, ayant épuisé les informations d'Afoukal, en était venu aux vaillances imaginaires. Privilégiant Séchou, membre réel de sa nègrerie fantastique, il lui inventait chaque jour un épisode d'héroïsmes divers auxquels les enfants se montraient réceptifs. C'est ainsi qu'il y eut *Séchou contre la chaîne magique*, *Séchou contre les treize chiens de chasse*, *Séchou contre les chasseurs de nègres*, *Séchou attaque la grande habitation*, *Séchou prisonnier*, *Séchou castre le gouverneur*, etc. Pipi était content. Cette façon de dire une époque se révélait plus efficace que les sombres exactitudes historiques dévoilées auparavant. Enri-

chissant de mythes la réalité, il galvanisait durable-
ment les enfants qui s'identifiaient mieux aux nègres
rebelles dans leurs jeux de guerre et de courage. Ce
jour-là, il racontait comment Séchou accompagné de
quelques Caraïbes pénétrait en plein jour dans une
habitation pour délivrer une négresse suppliciée,
quand le plus jeune des enfants poussa un cri de
détresse :

-- Pipi, j'ai faim !

Messieurs et dames, il ne faut pas sous-estimer la
force du verbe. Ce cri de l'enfant laboura chez Pipi le
corps, l'âme, et le reste s'il en est. Il bondit, comme
cinglé par un fouet. Hagard, l'enfant serré contre lui,
il chercha vainement dans la case quelque chose à
manger. Culpabilisé de les avoir abreuvés d'histoires
alors qu'ils nattaient la famine, Pipi pleurait comme
un mois de décembre, les embrassant tour à tour,
s'apercevant de leur couleur malsaine, de leurs yeux
trop grands. Il leur fit cuire les quelques œufs cachés
par Marguerite en prévision d'un dimanche de fête et,
pendant qu'ils dévoraient, se jeta à corps perdu dans
le travail du jardin. Il y passa désormais ses jours et
même, au grand désespoir de son amante jaune
banane, une partie de ses nuits. Parfois, il disparaissait en forêt avec la tribu des rastas, avide des secrets
que la terre leur confiait. Dans le mépris le plus total,
alors que nous la délaissions, les rastas avaient renoué
l'ancestrale connivence de l'homme avec la terre.
Riches d'humilité, d'une simplicité d'humus, ils
s'étaient introduits dans l'harmonie des bas-bois, des
insectes et raziés, du ciel et du sol, récoltant une
science naturelle. Ils acceptèrent Pipi avec leur bien-
veillance habituelle envers ceux qui venaient les trouver. Pipi apportait le coup de main à leurs cultures, et
eux lui fournissaient des trésors d'indications sur la

vie du sol, le fonctionnement des plantes, des racines, des existences vertes qu'une énergie tellurique projetait vers le soleil. De visites en visites, par l'expérience qu'il emmagasinait au travail acharné du jardin de Marguerite, Pipi devint comme certains rastas expert végétal, artiste agricole. Ce n'était pas une science comparable à celle du papa-feuilles, pape des unions entre la chair de l'homme et la chair végétale, mais une maîtrise des arcanes entre les plantes, l'eau, le soleil et la terre. Quand Pipi s'inquiéta auprès d'eux des manières d'accélérer la pousse des ignames, des méthodes de cultures sur les pentes fortes des ravines ou la rocaille des bas de falaises, des greffes susceptibles de modifier les rythmes de croissance de certains légumes, et même leurs dimensions, il buta sur leur farouche hostilité. Leur humilité devant les forces de la nature était si profonde qu'ils rejetaient ces idées sacrilèges.

– Il faut accompagner l'énergie du monde, frère, pas la soumettre.

Pipi, tout à la mise en application de sa nouvelle puissance, cessa de leur rendre visite, et se consacra au jardin de la famille Jupiter. Il n'en bougeait plus, au point que Marguerite devait lui porter son manger en arrivant. La chabine n'appréciait pas beaucoup, d'autant que leur bankoulélé sexuel s'en trouvait bien réduit. Mais, touchée par les réussites jardinières de son amant, elle ne protestait pas.

Pipi parvint à faire pousser à flanc de ravine vingt-cinq plants de tomates, porteurs immédiats de fruits moyens mais d'un parfum sublime. Il accéléra la germination d'une igname anonyme que les enfants purent récolter trois fois par an. Il fit germer du riz sur les berges de la rivière. Il réussit à faire pousser un carreau de blé qui mystérieusement ne mûrit jamais. Ce fut son seul échec, car il planta du manioc et le récolta au bout de cinq mois, augmentant la béatitude admirative de Marguerite Jupiter qui avait préconisé une attente de sept à dix-huit mois.

– On n'a pas le temps d'attendre, on n'aura pas le temps d'attendre, répétait-il, il faut mener ces plantes comme à la haute taille, les enfants ont faim tous les jours...

Parfois, couché avec Marguerite dans le jardin, il lui livrait sa nouvelle obsession :

– Pourquoi l'igname bamboche pousse-t-elle toute l'année, et pas l'igname bâtarde qui n'arrive qu'en octobre? Pourquoi de la bamboche toute l'année, et seulement décembre pour l'igname Guinée, l'igname sauvage ou la couscouche?

– Bon dieu sait ce qu'il fait, gémissait la chabine. Pièce nègre ne travaillerait sur cette terre si toutes les ignames couraient-venir tout le temps... La bamboche n'est pas rare parce qu'elle est amère...

– Oui, rétorquait Pipi, mais elle nous dit ce que les autres peuvent faire, et c'est ça notre travail, nous nègres d'aujourd'hui...

Et il passait un temps sans longueur à manier des tubercules d'ignames, à calculer sur des cahiers d'enfant la durée de leur dormance, temps essentiel où ils se conservaient sans germination. Il les planta sans arrêt, à des dates choisies de manière à obtenir des plantes complètement déphasées. Il étudia leurs maladies. Traqua sans connaître leurs noms les penicilliums et l'anthracnose. Marguerite Jupiter devait souvent le ramener des raziés ou du labyrinthe impressionnant qu'était devenu le jardin quand la nuit se faisait pluvieuse. Les voisins ouvraient de grands yeux sur ce ouélélé qui encerclait la case des Jupiter.

Grands couvercles de plastique. Bombes de margarine haut perchées libérant mystérieusement à certaines heures une eau jaunâtre. Trame de bambous et de ficelles où proliféraient mille et une plantes grimpantes. Braises permanentes, enfouies pour réchauffer des portions de terre précises. Bizarres croix de tôles qui déviaient le vent ou le canalisaient. Miroirs qui renvoyaient l'éclat du soleil en des endroits particuliers. Réseau aérien de bambous fendus en long, répartissant l'eau d'une citerne hissée sur le toit de la case. Et surtout un délire de plantes apparemment libres comme dans une jungle. On criait au quimbois et, subrepticement, le curé de Tivoli avait dû venir sanctifier l'endroit. Les choses auraient pu mal tourner si Pipi n'avait annoncé à la compagnie qu'il récoltait cinq fois l'igname dans l'année, quatre fois le malanga. Qu'il pouvait obtenir tout le long la dachine blanche, la noire et même la jaune. Que l'aubergine pour lui n'était pas un problème. Que les gombos marchaient désormais droit et venaient sans même qu'on les appelle. Que les christophines, les concombres, les melons, les calebasses, les giraumons tournaient devant lui en bourriques, car il pouvait en récolter chaque jour, dés sourcils de janvier aux chevilles de décembre. Il fit savoir aussi qu'il avait percé le mystère des pois boussoucous et des pois d'angole. Qu'il avait déchiffré désormais les pois z'yeux-noirs et les pois rouges. Que c'était inutile de détailler sa maîtrise des canneliers, des muscadiers, des piments, du safran-pays, des pieds de letchis, de maracudjas, de raisins bod-lanmè, de corossols, de pommes-cannelle, de mangues rouges, d'abricots, d'avocats, d'oranges, de mandarines, de papayes, de tamarins des Indes ou, Jésus-Marie, de caïmites.

Devant la case, il construisit un auvent où il exposa aux yeux de tous les produits de ses récoltes sans fin. Un impressionnant défilé de fonctionnaires et de fils de la déveine venait s'approvisionner en fruits et légumes du pays. Marguerite Jupiter avait abandonné son travail et tenait la caisse. Les prix de Pipi ne dépassaient pas les huit francs pour un kilo de n'importe quel produit. Quand cela se sut, le marché de Fort-de-France devint un désert ahuri, plein de marchandes en larmes et de nous-mêmes djobeurs sans djobs, comme s'il s'agissait d'illustrer le proverbe selon lequel plus vous êtes déchiré et mieux les chiens vous halent. Persuadés d'avoir été complètement oubliés, nous n'osâmes même pas aller reprocher à Pipi ce malheur. Quand il l'apprit, contre toute attente, il interrompit la vente aux particuliers pour confier l'exclusivité de ses produits au petit peuple des revendeuses. Durant cette période, à la réflexion brève, le marché aux légumes atteignit un taux d'activité comparable à celui qu'il connut de manière durable un lot de temps après la guerre. Tout y était à des prix si abordables que les supermarchés aux fruits et légumes made-in-france étaient concurrencés. Un bienfait n'arrivant jamais seul, les petits producteurs des fonds de campagne, forcés d'aligner leurs prix, se voyaient coiffer par le peigne de la dèche. Ils se lamentaient chaque samedi dressés sur les capots de leurs bâchées, expédiaient des télégrammes de détresse à la préfecture et aux présidents des deux qualités modèles de conseils. Mais l'exploit agricole de l'ancien djobeur couvrit leurs lamentations de veillées sans conteurs. Les partis politiques indépendantistes et autres grappes de nègres en petite marronne lui décernèrent des médailles, l'invitèrent à des meetings où, de la tribune d'honneur, il écoutait patiemment des discours incompréhensibles. On déclara qu'il avait fourni la preuve que l'indépendance était viable. *France-Antilles* publia sa photo à cette place de choix généralement réservée aux violeurs et aux assassins. On l'invita dans les M.J.C. communistes et au théâtre municipal de Fort-de-France où l'adjoint au député-maire Césaire, le père Aliker en personne, lui tapa sur l'épaule. On le filma dans son jardin sur dix-sept mille cassettes vidéo, diffusées dans les campagnes par le service municipal d'action culturelle du chef-lieu. En un flap-flap de temps, sans qu'il n'y comprenne hak, il était devenu une fois encore la référence majeure des organisations anticolonialistes du pays.

Il connut l'émoi quand le conseil municipal de Fort-de-France se déplaça vers lui en grande pompe, le député-maire en tête. Voyant Aimé Césaire lui-même marcher à sa rencontre, l'embrasser, le déclarer *Martiniquais fondamental*, Pipi devint ababa. Bégayant, transpirant, il ne comprit plus rien à ce qu'on lui demandait et se révéla incapable d'expliquer ses méthodes. La machinerie du jardin lui fut soudain indéchiffrable. Césaire, patient, questionnait gentiment.

– Mais comment faites-vous pour conserver les tubercules d'ignames aussi longtemps sans qu'ils ne germent?

– Hein? Quoi? Kesse ti di misié limè? (Que dis-tu?)

Pipi grommelait. Bafouillait. Tentait de haler un bon coup de français. Rectifiait sa tenue. Se rangeait les cheveux, doigts en éventail. Derrière, Marguerite Jupiter l'achevait à haute voix:

– Eh bien, Pipi, fiche que tu es couillon

aujourd'hui, Papa-Césaire ne va pas te manger eh bien tout de même quand même, fout...

Cette visite du conseil municipal fut un fiasco. Les conseillers s'égarèrent dans le jardin miraculeux. Ils butèrent contre les fûts, mirent le pied dans des braises, passèrent au mauvais moment sous des bambous d'arrosage, s'enfoncèrent jusqu'aux genoux et durent chercher la sortie de cette jungle en une reptation pleine d'épouvante. Césaire, qui ne s'était pas trop avancé, regagna rapidement sa voiture officielle après avoir confié à Pipi :

– Cher ami, je défendrai personnellement toute entreprise à grande échelle employant vos méthodes...

Installé derrière son chauffeur, il baissa la vitre arrière et fit un signe à Pipi qui le regardait en agoulou devant un canari :

– Je vous en prie, dites-moi, lui demanda Césaire, ce qui vous a motivé, qui vous a insufflé suffisamment d'énergie pour trouver tout cela?...

Percevant vaguement le sens de la question, Pipi cette fois oublia ses cheveux, son français, sa tenue, pour souffler rapidement :

– Ebyen misié limè, séti manmay la té fin, danne!...

Phrase que le soir au journal télévisé, après un dossier sur le Loir-et-Cher, le speaker de service traduisit par : *Monsieur le Maire, les enfants avaient tellement faim!...* C'est pourquoi au marché, durant une charge de temps, tout le monde crut Pipi docteur en langage de France.

Glissade sans calage. La période qui suivit fut atroce pour le jardinier-miracle. Césaire avait fait débloquer un gros bi de millions par le conseil régio-

nal pour que les méthodes du jardin fussent industria-
lisées. Une queue de nègres botanistes et ingénieurs
agronomes vint assister Pipi. Leur matériel fantastique fut entassé devant la case. Un petit laboratoire fut
installé à l'entrée. Les nègres savants lui demandèrent
des formules, ses repères *en matière de stades phy-
siologiques de maturité des principaux tubercules*,
son avis sur la rindite comme activant de la germination. Dans un français redoutable, on lui parla de
convolvulacées, de dioscorea, de xanthosoma saggi-
taefolium. Quand on le comprit incapable de théori-
ser ses pratiques, il lui fut amené des documents.

– Lisez ceci, monsieur : en maîtrisant ce vocabu-
laire et ces principes de base de l'agronomie, vous
pourrez mieux nous transmettre votre savoir…

Pipi lut et relut vainement ces textes ésotériques.
Marguerite Jupiter l'y aidait le soir, à la lueur d'une
lampe à pétrole, en lui prodiguant des conseils pour
déchiffrer.

– Cherche d'abord le sujet du verbe, épi le complément d'objet direct…

– Et puis ensuite?

– Ensuite? Je sais pas moi, vérifie si le verbe est
accordé au sujet…

– Et puis après?

– Après après après, faut pas haler trop de sennes à
la fois, à l'école le maître t'aurait déjà donné dix pour
ça, s'énervait la chabine.

Quand les nègres savants s'inquiétaient de ses pro-
grès, Pipi répondait : Ça roule, ça roule, mais tout ce
qui est derrière le dos du verbe n'est pas toujours le
complément machin. Ces déclarations versaient les
savants dans des ravines d'inquiétude, et ils délaissè-
rent Pipi pour élucider eux-mêmes le jardin fabuleux.
Le maître de céans se mit à douter de lui-même, de

ses bambous, ses braises, ses miroirs, ses mixtures d'arrosage. Ses habituels gestes d'entretien perdirent toute assurance, et il se laissa influencer par les hommes de science qui visiblement comprenaient mieux que quiconque l'alchimie du jardin.

– Pourquoi faites-vous cela, monsieur Pipi?

– Anpa save... j'ai toujours fait comme ça...

– Rationalisez, voyons! vous y perdez du temps, ne croyez-vous pas qu'en agissant comme cela...

– Ah oui! c'est mieux...

Imperceptiblement quelque chose se dérégla dans le jardin. Des vers s'y multiplièrent. Des champignons inconnus y firent leur apparition. Un jour, une brise renversa le réseau aérien de bambous. Les miroirs ne renvoyèrent plus l'énergie du soleil aux endroits prévus. Les fûts rouillèrent, pourrissant les eaux d'arrosage. Sous l'œil goguenard des hommes de science, Pipi se démena comme un rat dans une dame-jeanne. Il rectifiait, redressait, fouillait, sarclait, tentait vainement de libérer son instinct créateur. Il modifia la composition des eaux d'arrosage, l'emplacement de leur chute, força les doses de ses produits protecteurs et, finalement, perdant la tête, se mit à danser la calenda dans sa jungle agonisante, sous les injures acides de Marguerite Jupiter.

Les nègres savants prirent les choses en main. Engrais. Pesticides. Fortifiants. Arrosage scientifique commandé électroniquement. Vaporisations. Thermomètres. Serres de plastique. Greffes. Débroussaillages des plants jugés sans intérêt. Bientôt le jardin ressembla à autre chose. Les plantes avaient noirci. Les arbres demeuraient stériles comme des papayers mâles. Les fruits miraculés se racornissaient comme des cacas de lapin. Avant l'heure, infestées et verdâtres, les racines sortaient d'elles-mêmes. Une odeur de désolation végétale empuantit le quartier. Les voisins se mirent à vocaliser de la boue. Les savants remballèrent leur matériel en ricanant, persuadés d'avoir eu affaire de tout temps, comme ils l'expliquèrent dans leurs rapports, à une fumisterie.

Quelques semaines encore, la famille Jupiter vécut des économies de la période faste. Traumatisé, Pipi errait dans les ruines fétides de son jardin. L'eau continuait à s'y déverser par les vestiges du réseau de bambou. La terre détrempée prenait par endroits des allures de marigot. Bientôt un peuple de crapaulades y installa sa vie. Des milliers de moustiques quittèrent Rivière-Salée pour venir y demeurer. La case Jupiter devint donc infernale. Miasmes et moisissures affectaient les enfants. Le papa-feuilles avait été vainement recherché, et c'est un sorcier de la Faculté de médecine de Paris qui s'occupait de leurs ladres, leur asthme, leurs bronchites chroniques. Jusque-là Marguerite Jupiter s'était contentée d'injurier Pipi, d'autant qu'elle n'avait toujours pas retrouvé son emploi. Avec la réapparition de la famine, elle devint féroce, frappant les enfants pour un rien, hurlant comme une débiellée toutes les trois secondes et demie. Elle ne prenait plus goût aux choses de l'amour et réservait ses nuits au tri d'abrutissants cauchemars. Sa tête s'était mise à la démanger. Elle y plongeait les deux mains, provoquant des tornades de pellicules. Parfois, n'y tenant plus, elle écartait ses épaisses nattes pour se frotter le cuir chevelu au rhum camphré, savourant béatement la brûlure bienfaisante. Les grattelles revenaient vite, décuplant son hystérie, aggravant la lueur déraisonnable de ses yeux. Conciliant, Pipi occupait ses après-midi, d'habitude somnolentes, à lui gratter le crâne du bout d'un peigne d'os. Au début, ce traitement apaisa la chabine malade qui n'injuriait plus que les croûtes voletant autour d'elle. Mais Pipi dut racler bientôt de plus en plus fort, talonné par la rage grandissante de Marguerite, qui ne retombait qu'une fois son crâne écorché jusqu'au sang. Parfois, ces démangeaisons disparaissaient durant plusieurs jours. La malheureuse trouvait alors le temps d'empoisonner la vie de tout le monde, ou d'aller faire son scandale mensuel aux guichets de la caisse d'allocations familiales.

Pipi avait retrouvé son oisiveté de chat désabusé. Malgré les attaques incessantes des moustiques ou les processions de crapauds, il somnolait toute la journée à sa place habituelle derrière la case, ne bougeant que pour aller quérir un médecin pour un enfant malade, ou écorcher le crâne de la chabine aigrie. La décadence de la famille Jupiter fut signalée aux services sociaux. Une assistante sociale se mit à défiler autour de la case, raide comme un général Mangin, jetant un regard de procès-verbal par les fenêtres ou la porte entrebâillée. Enfin, elle se présenta sur le seuil de la case. Marguerite Jupiter, associant ces personnages à l'octroi de subsides ou de bons alimentaires, l'accueillit avec un sourire de Syrien devant un client bitaco. La policière sociale, après maintes questions, prononça son verdict :

– Hélas, madame, vous n'êtes plus en situation de pouvoir vous occuper des enfants...

– Eti ?

– Les plus jeunes sont véritablement en danger ici, l'air y est malsain. Voyez l'état de leur peau, écoutez les sifflements de leur respiration... votre situation financière.

– Parle clair pour moi, que veux-tu dire là, exacte-
ment? s'impatientait Marguerite.

– Vos quatre derniers sont dans un état de malnu-
trition et de santé précaire tel que je me vois forcée
de réclamer au juge un placement en...

Mesdames et messieurs, Marguerite Jupiter lui
balança ce que les vieux nègres appellent un palaviré.
Elle la récupéra sous la table pour lui infliger, malgré
ses gémissements, deux ou trois ziguinottes. L'empoi-
gnant par les seins, elle la souleva pour la gratifier
d'une banane dans la cuisse. Tiocs, calottes, pichon-
nades, grafiniades, boks, achevèrent le traitement.
L'assistante sociale se retrouva les quatre fers à
l'embellie dans la boue du jardin. Tiré de sa somno-
lence, Pipi se méprit en l'apercevant dans cette position et entra dans le combat sans bâton :

– Eh bien madame tout de même, tu ne gênes pas
ton petit corps ou quoi? C'est pas ici qu'il faut venir
faire caca...

Quand le car des policiers surgit dans un fracas de
sirène, auréolé d'un gyrophare, Marguerite Jupiter,
saisie d'effroi, les regarda sans mot dire emporter ses
quatre derniers enfants. L'assistante sociale, pansée et
rajustée, lui déclara, pleine de compassion, qu'elle ne
porterait pas plainte pour coups et blessures car je
comprends parfaitement votre émotion maternelle à
l'annonce d'une telle mesure, mais voyez-vous elle
est inévitable, je ferai en sorte que votre situation
s'améliore et qu'ils vous soient alors restitués... Dès
leur départ, la chabine tomba sur Pipi comme une
chaleur du mois de mai sur une case du Prêcheur.

– Tout ça c'est à cause de toi, sacré maudit!...

Elle le pilonna comme une viande de vieux cheval
avant de le balancer par la fenêtre et lui prier d'adop-

ter les grands chemins. Hébété, Pipi s'en alla droit-direct vers son ancienne clairière, où il reprit ses interminables conversations avec le zombi d'Afoukal. Nous n'entendîmes plus parler de Marguerite Jupiter. A ce qui paraît, l'assistante sociale tint parole. Les services municipaux d'hygiène assainirent le jardin. Elle fut soignée pour sa maladie du cuir chevelu et retrouva dans le même temps ses enfants et un emploi. Son nouveau concubin, jaloux d'on ne sait quoi, incendia l'arbre-à-pain. Ainsi, le vestige du plus miraculeux des concubinages de ce côté-ci des amours partit messieurs et dames en fumée de boucan.

Rats, fourmis et marchandes-zombis. La chute du jardinier-miracle nous parvint au marché en désastre. Cela nous fournit de quoi vocaliser durant quelques jours. Puis les nouvelles de Pipi s'éteignirent. On le disait retourné à la clairière, mais le temps passa-passa et nul ne risqua plus un dé de serbi sur cette affirmation. Sa brouette était devenue une tache noirâtre sur les dalles de ciment malgré le crésyl obstiné du gardien municipal. Autour de nous, la vie ne plantait que des pieds de piments ou de mangé-coulis. Fourmis et rats apparurent dans l'épave du marché. Il y eut d'abord deux ou trois rats se promenant en plein jour. Ils butaient contre les chevilles et les paniers, longeaient les établis et s'enfuyaient dès l'esquisse d'une menace. Vint le jour où, par bandes de cinq à huit, ils assaillaient tout bonnement le panier de leur choix, effrayant la marchande, mordant chaque produit, faisant disparaître les prendre flap! une fois l'assemblée ressaisie. Le gardien municipal, alerté par les victimes de ces hordes sauvages, expédia un rapport aux services d'hygiène de la mairie. Une équipe de désinfection, spécialiste du poison à retardement pour rats vicieux, fut dépêchée sur place. Chose curieuse, au moment où elle déballait son matériel sous nos yeux reconnaissants, trente-deux groupes de dix rats entamèrent une descente dans les allées. La panique fut indescriptible. On prit-courir vers les portes. On piétina les paniers. Légumes, fruits, petite marmaille et quatre des six membres de l'équipe d'hygiène prirent l'envol. Tout fut comme dans un panier de crabes, et le marché fut interrompu trois heures durant. Afin de permettre aux spécialistes d'appliquer leur science raticide, le gardien ferma bien à l'avance. Maîtresse des lieux, l'équipe d'hygiène œuvra longuement à la mise en place des pièges imparables. Le lendemain, à l'ouverture du marché, le gardien récolta de-ci de-là treize chats pris dans les convulsions d'une agonie interminable, vingt-deux chiens raides, quatorze cents anolis, cent cinquante araignées, trois cent mille ravets rouges, quinze papillons de nuit, deux oiseaux qui ne battaient plus, et un rat foudroyé. La compagnie se rassembla autour de ce dernier. Les avis sur la réussite de l'opération étant très partagés, le vocal donnait à mort, quand une nouvelle floraison de rats répandit une panique semblable à celle de la veille. Cette fois, l'on s'écrasa carrément contre les grilles. L'on escalada les poteaux. L'on se suspendit aux fils électriques. L'on se jeta cul pour tête par-dessus les établis. L'on piétina. L'on renversa. Un ancêtre, retrouvant un des pires moments de la ville de Saint-Pierre*, hurlait sous la brûlure de nuées aussi ardentes qu'imaginaires. Les rats semblait voler. Ils étaient gros, d'un gris sale, méchants. Ce comportement inhabituel, leur folie apparente, leur couleur

---

* L'éruption de la montagne Pelée, en 1902.

pâle inconnue par ici comptaient pour beaucoup dans l'épouvante qui nous dominait. Il y eut ce jour-là deux morts : l'ancêtre rescapé de Saint-Pierre, noyé dans le bassin de la fontaine, et une marchande dont le cœur avait sûrement sauté. Le pays s'en émut. La télévision déplaça deux reportages sur la vie sexuelle des huîtres bretonnes pour filmer les allées dévastées, nos brouettes, les cadavres et le rat mort.

Cette fois, après une vaine recherche des trous et des nids, l'équipe de désinfection passa la nuit à déployer son arsenal de poisons anticoagulants et de pièges pervers. N'ayant pu déceler leurs lieux de passage habituels, elle sema ses produits en associant aux lois du hasard quelques principes théoriques de la ratologie. Le lendemain, rares furent les téméraires qui pénétrèrent dans l'enceinte du marché. Marchandes, quimboiseuses, cuisinières, chanteurs, enfants, gardien, parasites des établis et nous-mêmes djobeurs, nous nous installâmes aux alentours, bloquant rues et trottoirs, aggravant les embouteillages naturels du centre-ville. La police, nous encerclant flap-flap, refoula tout le monde dans le marché après quatre paroles du médecin directeur de l'hygiène municipale, expliquant l'impossibilité scientifique qu'il y eût un seul rat survivant. Nous y trouvâmes la semaille habituelle de chats, de chiens, d'insectes divers, et, bidime triomphe, vingt-cinq rats empoisonnés, autour desquels nous dansâmes avec les cris sauvages des marchandes de poissons. Or, mesdames et messieurs, c'était la dernière fois que nous dansions autour de rats crevés.

La journée se déroula sans incident, mais le lendemain, à la pointe du pipiri, il en jaillit du tout-partout, toutes les cinq minutes. Ils renversaient les balances. Sillonnaient les établis dans une voltige de produits divers. Zébraient l'air de couinements aigus. La débandade cette fois ne fut pas totale. Alors qu'une trentaine de capons fleurissaient aux portes, Madame Carmélite, marchande sans histoire en instance d'exil vers la France où il n'y a pas de déveine, se dressa sur son établi pour injurier les rats : *An landièt manman zot!*, et leur indiquer son exaspération. Lapochodé hala un coutelas dessous sa brouette et se mit à prendre-derrière les bestioles. Zozinette, poings aux hanches, jambes écartées au-dessus de ses paniers, les toisait en leur grinçant des Vini vini vini vini quelque peu menaçants. Man Elo, brisant sa coquille de patience silencieuse, accompagna d'un poing rageur brandi vers le ciel une malédiction définitive sur toutes les qualités modèles de rats. Elmire la pacotilleuse quitta son tabouret pour lancer un *Faites attention à moi danne*, avant de se rasseoir dans une indifférence affectée. Ces attitudes nouvelles demeurèrent sans effet sur la folie des rongeurs, mais elles jugulèrent la panique. De jour en jour, moins nombreux furent les affolés par les apparitions des rats. Signe de notre décadence, ils circulèrent bientôt dans les allées, entre les étals, escortés d'une marée profuse de fourmis rebelles au fly-tox, dans une indifférence quasiment générale.

Beaucoup d'étrangetés agitèrent ainsi le marché durant la période où Pipi disparut de la circulation. L'une d'entre elles, bouleversant notre conscience, favorisa notre accommodement aux fourmis et aux rats. Il s'agissait, cette fois, de marchandes spectrales. Trois chabines, auréolées de poussières fines, dépositaires d'une aura d'éternité grâce à leurs vêtements plus anciens que nos rêves. Elle apparurent la première fois avec des jupons roses et violets, des chemises blanches à manches courtes, brodées comme des feuillages, des dentelles somptueuses, des foulards jaunes, roses et verts, des épingles tremblantes fichées dans des turbans de madras joyeux. Colliers à quatre rangs de boules d'or, anneaux-clous et anneaux-chenilles frôlant leurs joues, rubans de soie et broches lumineuses comme celle de Chinotte, elles avançaient dans des couleurs de crépuscule, à quelques centimètres au-dessus du sol. Traversant le marché de part en part, dans un silence grandissant, elles disparurent comme des reflets de vitrine sur le pas de la grande porte, nous laissant ababas comme des bambous sans vent. Les marchandes les plus âgées mirent pleurer par terre sur ce mirage du temps-longtemps. Les plus jeunes, bouches en gobe-mouches, secouaient la tête. Nous, sur les caisses ou derrière les brouettes, étions bouleversés comme ces chenilles qui doivent laisser leur vie aux papillons.

A leur seconde apparition, elles portaient des gaules princesses, pourvues de volants et de dentelles, des mouchoirs de tête hauts et pointus, piqués de broches en or.

A la troisième, elles étaient vêtues de chemises de batiste brodées, agrémentées de larges dentelles et plissées autour de boutons d'or. Leurs reins de matador retenaient des jupes à ramages, amples par-derrière, courtes par-devant. Aux hanches, sur leurs jupes, des pochettes de batiste tremblaient comme des cils. Les colliers-choux, les broches, les épingles, les boutons émaillaient l'ensemble. Elles flottaient dans leurs poussières et présentaient à la cantonade, comme pour vendre, de grands paniers vides. Leurs visages étaient flous et elles n'avaient pas d'yeux, oo manman nous pleurions sur ça...

La quatrième fois, elles avaient revêtu des douillettes. Leurs corsages moulés au dos, amples pardevant, étaient montés par fronces sur un empiècement joint par une ceinture à de gonflantes jupes, froncées elles aussi à l'arrière. Les jupes étaient piquées pour découvrir à gauche et à droite des jupons de taffetas à volants superposés, ornés de dentelles de Chantilly profilées de satin. Leurs cheveux jaunes disparaissaient sous des madras calendés qui laissaient apparaître aux tempes des nattes roulées en macarons, serties de barrettes ou de broches. Leurs bijoux cette fois étaient la chaîne gros-sirop, des sautoirs avec cassolettes, des pampilles et des bagues, des broches-chenilles et des bouts d'oreille à pierre noire dignes des merveilles d'Adeldade Nicéphore. Elles apparurent une charge de fois, plongeant le marché dans une béatitude inquiète, au point que le gardien municipal dut faire appel à la police, puis à l'archevêque, puisque ce sont des zombis je vous dis...

Un mandat d'arrêt avait été décerné par un procureur, et un car de police s'enracina à l'entrée du marché dans l'attente des marchandes du rêve. Quand elles se matérialisaient, les policiers s'élançaient rageusement comme pour déloger une tribu de rastas. Au nom du peuple français, dans des claquements de menottes, ils accompagnaient la traversée des éternelles par une lutte furieuse qui n'altérait pas la sérénité de ces dernières. Les grappins policiers traversaient les apparitions, comme voulant crocheter l'air lui-même. Durant ces événements, des nouvelles de Pipi nous revinrent, colportées par des rastas qui venaient écouler au marché des sculptures de bambous. Ils affirmaient qu'une terre tapissée de champignons blancs le couvrait presque entièrement. Des médecins de Colson le visitaient parfois, prenaient des photos et notaient ses délires concernant un esclave gardien d'une jarre d'or. Il y eut des périodes, dit la rumeur, où il se transforma en herbe car on ne le voyait plus. Il y en eut d'autres où il trouva certainement manière de naviguer sous terre en compagnie de la jarre. Il dut mourir plusieurs fois et pourrir jusqu'à poussière car la clairière fut souvent envahie de brumes jaunâtres et d'odeurs pestilentielles, insoutenables puis lentement décroissantes. Sinon, on le distinguait bien, sorte de racine frémissante, lovée dans l'herbe sous une crête de champignons, en dialogue avec la terre. Afoukal ne lui parlait plus de l'esclavage. Il était devenu questionneur, curieux de notre vie, et singulièrement de notre avenir.

– Qu'allez-vous faire de toutes ces races qui vous habitent, de ces deux langues qui vous écartèlent, de ce lot de sangs qui vous travaille?

Pas plus que nous, Pipi ne s'était jamais posé ces questions-là. Ses bredouillements consternaient le gardien de la jarre : Pas peur, maître-chose... On va repartir en Afrique...

– Quoi? Quelle Afrique? s'exclamait le zombi. Y'a plus d'Afrique fout! Où c'est d'abord, l'Afrique? Où sont les sentiers, les tracées du retour? Y'a des souvenirs du chemin sur les vagues?

– On va trouver, t'inquiète...

– Trouver kisa? De quoi êtes-vous capable? Vous êtes comme des poteries qui restent à cuire : une terre étrangère jamais mise au pas, des sangs et des races en mandoline mal accordée... Que pourriez-vous donc faire de l'Afrique?

– Assez! j'ai fait chanter cette terre, hurlait Pipi, j'ai vaincu les ignames, les choux, les patates, toutes qualités et cætera... alors ne viens pas me dire des bêtises...

– Alors, qu'est-ce, susurrait le zombi, qu'est-ce que tu fais là, collé à la terre comme du caca-bœuf? Tu prends la vie pour ça?

Pipi ne répondait pas à cette question. Enfonçant sa joue dans la terre pelée, il cherchait désespérément une raison à sa misérable présence dans cette clairière. La vieille rosée de la déveine mouillait parfois ses cils. Afoukal lui était devenu une seconde nature. Quelques souvenirs de nous, du marché, d'Anastase, des djobs, de sa brouette, d'Elmire, de nos insomnies, de Man Elo et du dorlis habitaient peut-être une ravine de sa mémoire. Mais il avait oublié net, c'est sûr, avoir quitté cela en chercheur d'or, avoir semé une part de son existence dans l'affaire pour se retrouver en chien dans un bas-bois sans pourquoi ni comment. Voulant échapper à l'inquisition d'Afoukal, il se perdait dans les parfums de goyave rose ou de moubin qui dentelaient le vent. Ses narines de chien sauvage lui livraient les discrètes senteurs des derniers cacaoyers ou de leurs cabosses éclatées. C'était un jeu pour lui, depuis ce fond de détresse, que de distinguer dans les peuplades d'effluves l'amertume des acajou-senti avec leur rouge-cœur, leurs bouquets de fleurs ligneuses au-dessus des feuilles frisées, ou l'haleine âcre de la racine des gaïacs, haute médecine des papas-feuilles. Les jours de pluie, ces parfums som-braient sous un réveil sauvage, une odeur unique et multiple, qui ondulait dans le bas-bois. Cette essence végétale, fétide, humide, suintait de partout. Sa brutalité atterrait Pipi. Il se renfonçait dans la terre chaude, immobile sous l'eau qui le baignait. Les jours de gros soleil, il se couvrait d'herbes-guinée. Cela séchait, pourrissait, lui gardant la fraîcheur des cœurs de pastèques. Ses douleurs le poussaient hors du creux où il gisait, chercheur de l'herbe-couresse qui lui calmait les dents. Les herbes-chadrons en compresses dissipaient ses migraines. Dans cette flore médicinale, il côtoyait des chiens et des chats malades, menés par leur instinct. Cette science apprise du papa-feuilles lui évita le pourrissement physique du précédent séjour dans la clairière de son destin et même, assurément, la mort.

Le mandat d'arrêt levé, le car de police avait abandonné les marchandes-zombis à leurs exhibitions d'une vie révolue. Une indigence sybaritique nous entassait sur les caisses. Des marchandes de la grande époque du djob, ne subsistaient plus qu'Elmire et Man Elo, dernières à nous avoir connus puissants maîtres-djobeurs, auréolés de nos paysannes fidèles. Les nouvelles marchandes transportaient leurs légumes dans des casiers de plastique. Elles arrivaient le samedi en fourgonnettes aux entrées du marché où leurs hommes les aidaient à décharger, vendaient leur peu à des prix impossibles aux fonctionnaires amateurs d'un extra, et disparaissaient pour le restant de la semaine. Les marchandes-sorcières ne venaient plus : il y avait tant de pharmacies! Leurs établis servaient à la vente de carafes à touristes, et de babioles made-in-et cætera, fin de stock des entrepôts où s'approvisionnaient d'étranges revendeuses. A l'heure des hautes saisons de la mangue, du mangot ou des quénettes, quelques jeunes filles apparaissaient, impatientes derrière leurs paniers, ranimant de frémissements le trottoir près des grilles. Mais elles aussi nous ignoraient. A croire que nous étions là sans y être. Nous nous regardions incrédules, hagards souvent de surprendre nos contours devenant flous : victimes d'une gomme invisible, nous semblions tout bonnement nous effacer de la vie. Elmire était la seule à le remarquer. Reconnaissant cette fatalité, l'ancienne voyageuse balbutiait alors un couplet quotidien :

Pleurez, disait-elle,
    les Yaghan du cap Horn
    frappés de transparence,
    les Xeta du Brésil,
    souvenirs sans sortie.

Pleurez, les Jora de Bolivie,
    les Peuls énigmatiques,
    les Toubous,
    les Touaregs du Sahara,
    on les dit petites eaux en carême,
aa pleurez, les Boshimans des sables Kalahari.

Pleurez, vomis d'Afrique,
    les Malinké du Sénégal,
    les Yoruba du Dahomey,
    les Pygmées du Gabon traqués par
    des arbres qui tombent,
    les Yamu du Kenya aux cases désolées.

Mettez pleurer à terre sur
    les Aïnu des îles Hokkaido dont seuls
    des vieux-corps nomment le souvenir.

Pleurez, les Saramacas des Guyanes,
les Kanaks calédoniens,
les derniers Caraïbes.
Roye pleurez ces promesses assassinées
en bousculade vers l'oubli sans pourquoi,

votre malheur en semailles!

Mis à part cette litanie, Elmire n'avait pas grand-chose à raconter. Elle s'endormait souvent, soûle de chaleur et de silence. Autour de notre gouffre d'autres détresses s'agitaient. Fort-de-France retentissait d'échauffourées et d'éclats de grenades lacrymogènes. Une rumeur parlait de gendarmes assassins sévissant dans les mornes, mitraillant le peuple des mers de cannes à sucre, des usines en dérade. Dans Noël et le Carnaval seule l'habitude ramenait notre joie. En nous et autour de nous les choses s'étouffaient comme de vieux flambeaux. Avec le temps, les marchandes-zombis se failaient rares. Mais quand elles surgissaient, rien ne nous halait plus vers ce vertige des rêves, et même la cour de la mairie où Césaire distillait régulièrement ses beaux coups de vocal ne comptait plus nos pas. Nous avions atteint le bout d'une tracée épuisée sans horizon, où le pays se faisait encore plus insaisissable. Parfois, à l'acmé d'un vertige, nous enviions Bidjoule qui s'y était planté comme une igname – au premier germe hélas, il avait été déraciné par les médecins migrateurs de Colson.

Piments d'enfer, chaud-chaud! C'est une horreur qui nous rappela l'existence de la merveilleuse : le journal parlait d'elle! Man Elo, qui le lisait, gémissait des Aye mon Dieu aye mon Dieu. Redoutant une terrible nouvelle à propos de Pipi, nous nous précipitâmes en hurlant : BLOGODO!..., seul exorcisme valable contre les coups du destin.

– Anastase est en prison! pleurait l'inutile Reine.

Et tandis qu'elle épelait chaque mot de l'article, la torture qu'avait subie Anastase, et que nous n'avions pu que soupçonner, se révéla enfin. Nous sûmes que Zozor Alcide-Victor s'était relativement bien occupé d'elle dans un premier temps. Puis qu'il s'était fait rare, telle une tranche de viande à l'époque de l'Amiral. L'amoureuse l'attendait patiemment, l'épaule appuyée contre un coin de fenêtre, pétrissant mollement une pâte sucrée. Poussé par des crampes irréversibles, le séducteur ne surgissait que pour la renverser sur la table de la cuisine, entre les coquilles d'œufs et les caillots de farine. Il disparaissait ensuite, tout aussi promptement, sans indiquer la longueur de sa chaîne ni le jour de son retour. Des semaines pouvaient alors s'écouler : le vieux couloir ne résonnait point de son pas de danseur. Anastase prit en charroi permanent un mal d'amour qui lui donna cet aspect terne de coco sec à propos duquel nous nous étions déjà étonnés. Repoussant sa torpeur, elle se perdait dans des préparations de gâteaux et se droguait au tournis inlassable qu'exigeait la préparation des sucreries. Confire les papayes vertes demandait moins de concentration qu'elle n'y mettait, mais ces gestes d'horloger maniaque au-dessus des casseroles conjuraient sa détresse. Ses jours se mirent à se copier : attentes anxieuses près de la fenêtre, ventes aux portes de l'école, apparitions éjaculatoires de Zozor Alcide-Victor qui l'agrippait sans paroles. Le jeudi soir, elle enfilait des chaussures rouges à fleurs blanches pour s'en aller goûter la nuit sur la Savane, s'oublier dans l'odeur aigre des tamarins tombés, ou rôder autour de l'arbre sacrificiel du maître de son cœur.

Bientôt, elle se mit à vivre recluse, sans l'envie ni le courage d'apparaître au soleil. Ses persiennes demeuraient closes. Elle perdit ses cheveux par grappes. Sa belle peau de caïmite se brouilla comme celle des avocats cueillis sous la pluie. Elle ne chassait plus la poussière de sa case et fabriquait machinalement des sucreries qui s'entassaient dans les coins du deux-pièces, offertes aux mouches et aux fourmis, exhalant l'odeur du sucre rance. Sa vie, désormais, se déroulait dans sa tête, avec un Zozor Alcide-Victor omniprésent, certainement très prévenant. C'est pourquoi elle se parlait avec une voix si douce, et souriait si souvent à l'envol d'une joie intérieure. La déchéance de la malheureuse n'émut nullement Zozor Alcide-Victor qui, adepte récent des plaisirs étranges, fumait maintenant du cannabis de Guyane et s'adonnait aux joies spéciales des sodomites. Anastase fut désormais renversée sous des assauts qui la remplissaient de honte. Le pire, c'est que la nouvelle lubie de son maître de cœur, lui écrasant le visage contre la table de cuisine poisseuse de sucre ou dans les draps douteux de la paillasse, la privait de la vue de son beau visage, épanoui par le plaisir sacré qu'elle lui procurait. C'est d'ailleurs cette frustration qui devait sceller le destin du bâtard syrien, tant il est vrai que l'on peut jouer avec le macaque, mais sans lui faire n'importe quoi.

Anastase, un jour, au sortir d'une longue absence de Zozor Alcide-Victor durant laquelle son soleil intérieur avait sombré sous une vieille pluie, dissimula un couteau de cuisine dans son corsage alors que le pas du bâtard résonnait dans le couloir. Celui-ci, comme d'habitude, pénétra en coup de vent dans la pièce, puis dans son esclave d'amour renversée sur le ventre. Il se vida rapidement, récitant durant ses tressaillements le poème arabe qui lui était familier. Assis sur le lit tandis qu'Anastase se rajustait, il fumait béatement cette cigarette qui lui permettait d'attendre la reconstitution de ses forces pour un second assaut. Tout à savourer la langueur de ses muscles, il ne remarqua nullement le regard fixe d'Anastase ni sa démarche d'automate tandis qu'elle s'approchait de lui. Quand elle le toucha presque, il la crut quémandeuse d'une nouvelle chevauchée et la repoussa d'une main : Hébin dis donc Anastase tu peux bien attendre une minute, non?... Au premier coup, le couteau s'enfonça derrière la clavicule gauche. Le second lui racla quelques côtes et lui perça un poumon. Le troisième lui trancha la carotide. Quand le quatrième coup l'éventra, il était mort, c'est du moins ce qu'affirma le médecin légiste dans le rapport présenté, plus tard, devant la cour d'assises.

Elle fut emprisonnée dans le quartier des femmes de la Maison centrale. La police l'avait découverte amoureusement lovée sur le corps du bâtard, lui chuchotant les berceuses créoles que les vieilles chantent aux enfants malades. Dans le quartier des femmes de la geôle, Anastase se trouva seule avec une surveillante en robe blanche. L'employée pénitentiaire tricotait des napperons qu'elle vendait à ses amies en vue d'arrondir les fins de mois. La prisonnière apprenait le tressage des paniers caraïbes aujourd'hui oublié. La petite cour vide, les cellules désertes ornaient leurs voix d'un écho irréel. La surveillante de nuit arrivait à dix-neuf heures. Les deux femmes dînaient en tête à tête à la lueur de l'ampoule du minuscule réfectoire. Elle doit encore y être, ou elle n'y est plus, quelle importance? Quand Man Elo, obtenant un permis de visite, l'avait trouvée sereine, elle avait compris que l'ancienne esclave d'amour était enfin en paix. Ce fut la première et la dernière fois qu'une de ses nouvelles nous cueillit un sourire. (Adieu Anastase, dans les cœurs incendiés subsiste la moelle des cendres.)

En ce temps-là, des jeunes tombés en politique affrontaient les policiers. L'étudiante révolutionnaire, si ardente autrefois, prenait ses distances. Révolution n'est pas vagabonnagerie! hurlait-elle. A son grand désespoir ces événements ne nous émeuvaient pas. Cernés de fourmis et de rats, de marchandes oublieuses, dans un défilé d'événements impossibles et de temps sans marquage, taraudés par la pensée de notre roi vautré dans une clairière, nous avions depuis longtemps chuté du calebassier de l'existence. Desséchés, nous offrions l'inutilité disponible des couis vides. Alors quand une folie démonta la ville, qu'il y eut une consistance à charroyer, aucun nègre, des environs jusqu'à l'horizon de Miquelon, n'eut plus d'énergie désespérée que nous.

Tout commença par la visite d'un homme de France que l'on disait ministre d'un outre de la mer. Les C.R.S., dont les effectifs avaient été renforcés de légionnaires et autres tueurs méchants, envahirent les rues, matraquant une foule de jeunes incendieurs de drapeaux bleu-blanc-rouge. Cette fois, hélas, un corps demeura parmi les débris, crâne défoncé. Il s'agissait d'Emile, fils de Man Joge mère oublieuse de Bidjoule et de Ti-Joge le facteur. *Oh cette haine qui nous souleva !* Le jeune cadavre fut exhibé dans la ville par un fleuve délirant dont nous faisions partie. Il y eut ce soir-là une invocation du désastre. Nous brisâmes les vitrines, les vitres de quatorze cents voitures. Nous perçâmes des tuyaux, des rideaux de fer, des persiennes. Nous descellâmes des bornes d'incendie, des cabines téléphoniques, feux de circulation et poteaux électriques. Rampant dans les ombres à la manière des rats, traversant les espaces découverts par bonds, nous coulions dans les rues comme l'eau des nuits d'orage. La ville ne semblait vivre que d'armes clignotantes et d'uniformes guerriers. Nous sillonnâmes la nuit avec les jambes de notre jeunesse et l'enthousiasme oublié des grands djobs du samedi. Ivres comme un lâcher de papillons, ou telle une horde évadée de quelque sinistre cage, nous projetions contre soldats et gendarmes des conques de lambi et des tessons de bouteilles. Quelle honte aujourd'hui de nous savoir capables de tant de cruautés !...

Le premier soleil trouva une ville clignotante de braises. Aux carrefours des bouquets d'uniformes bruissaient nerveusement. En plein jour nos adversaires étaient impressionnants : tonnerre de bottes, vols d'hélicoptères, jeeps et antennes, toute une science meurtrière qui ravivait en nous de vieilles craintes. Les Syriens n'avaient pas levé leurs rideaux. Seules s'étaient risquées au marché des vendeuses centenaires ou trop en déveine pour craindre quoi que ce soit. Cette nuit avait quelque peu secoué nos faibles existences, nous avions des rires d'enfants, des braillements épais. Cette éclaircie s'épuisa rapidement. Parmi les rats, les fourmis, les quelques marchandes soucieuses, la ville qui reprenait ses habitudes, nous retrouvâmes notre placide déchéance : notre déchaînement n'avait été qu'une furie de voyous, comme l'expliquait cette radio diffusant les menaces officielles.

Pour Man Joge, cette ultime période fut infernale. Après avoir perdu Bidjoule (mort sans manman dans une chambre de Colson), elle dut attendre longuement avant de récupérer le corps de son fils assassiné. Son cadavre était devenu une sorte de pièce à conviction d'on ne sait quoi, et les autorités l'avaient livré à une armée de médecins légistes qui tentaient d'expliquer la mort par quelque mystère cardiaque ou chagrin des artères. Man Joge l'attendait encore quand elle dut avec nous affronter un autre désastre : l'incendie du bar de Chinotte et la mort de Ti-Joge... En voici le comment...

Les événements de cette fameuse nuit avaient emballé Chinotte : Nous résistons! hurlait-elle, nous résistons... Son agitation menaçait l'équilibre de son trône de cahiers. Fêtant on ne sait quoi, elle avait descendu sa chaîne hi-fi, une merveille qui incitait au signe de croix. Placée sur le comptoir, la bête clamait des hymnes révolutionnaires de Cuba et des chants d'une Amérique inconnue dans une langue inconnue. Ce petit carnaval individuel nous était parvenu aux oreilles, et nous avions quitté nos caisses afin d'écouter l'Aventurière inscrire si parfaitement sa voix dans ces harmonies étrangères. Ce fut un moment de franche gaieté au cours duquel Chinotte nous libéra quelques bouteilles. Il y eut des verres brisés. Des envols de sucriers. Nous quittâmes le bistrot à l'heure où le marché s'ébroue dans la vente des légumes-soupe du soir. Ce n'était qu'un réflexe : les djobs de cette heure-là avaient eux aussi disparu. Debout à la porte en compagnie de sa serveuse, Chinotte nous fit de la main des adieux insistants, comme si malgré ses A demain-à demain-à demain elle pressentait que nous ne la reverrions plus.

Le soir même, les marins du destin pénétrèrent au *Chez Chinotte* sur le coup des seize heures. Ils étaient une vingtaine. La journée avait été rude : des meetings d'étudiants en colère se tenaient un peu partout. Ils avaient été réquisitionnés en protection de l'hôpital où les médecins légistes s'acharnaient sur le cadavre d'Emile et, à cette heure, ils étaient certainement en bordée ou en patrouille. Chinotte était toujours en plein dans son inexplicable fête. Les tables étaient couvertes de nappes neuves. Les jalousies étincelaient. La pièce sentait la javel et l'hibiscus. Quelques rhumiers désœuvrés (si l'on en croit le nombre de tibias retrouvés dans les cendres) durent précéder les marins. Chinotte le accueillit en augmentant le volume de sa chaîne. Quand les marins surgirent, elle les reçut avec la même chaleur, leur servant sans y penser de bonnes rasades d'alcool. Les marins entonnèrent leurs chansons de salle de garde, commencèrent à se poursuivre entre les tables, à pisser debout sur les nappes en se touchant mutuellement le pompon. Et, comme souvent dans ces beuveries, ils libérèrent leur rancœur contre les nègres présents et ce foutu merdier d'île pourrie !... Est-ce Chinotte qui leur tomba dessus, chaises et bouteilles en avant ? Est-ce un rhumier qui écrasa les pompons à coups de pied de table, notre arme préférée lors de bagarres similaires ? Chinotte était de taille à disperser un régiment de soûlards. Nous l'avions déjà vue à l'œuvre en pareille circonstance. Ce qui se produisit dut donc être de ces passages indéracinables qui balisent les destins, sorte de fatalité qui fait que, toujours, la vie se termine mal.

Les marins ravagèrent le bistrot. Les marins brisèrent le comptoir et toutes les tables. Les marins fracassèrent la chaîne hi-fi et durent, en fuyant, jeter un mégot allumé dans la rivière d'alcool des bouteilles brisées. Les flammes s'élevèrent gigantesques, avalant le plafond, l'appartement du dessus et le toit de tôles rouillées. Elles durent se heurter aux murs avant de souffler les portes et les fenêtres. Le quartier vacilla quand elles atteignirent l'entrepôt des bouteilles en réserve pour l'avaler en un claquement de gueule.

Le marché fut présent bien avant les pompiers. Pin-Pon se précipita dans les flammes et en ressortit avec les poils roussis, hurlant qu'on lui trouvât une couverture mouillée. Enveloppé de cette protection dérisoire, il replongea dans l'enfer où se percevaient des cris d'agonie. Les nuances des flammes reflétaient la diversité des réserves en rhum de Chinotte. Le bleu tendre provenait du rhum Maniba. Les zébrures ocre, du rhum Depaz. Les tournoiements jaunâtres, du rhum Neisson. Le rouge aveuglant, du Saint-Etienne. Entre les verts métalliques de la Mauny, se glissaient les taches aveuglantes du rhum Favorite, de l'Old Nick, du Trois-Rivières et du Duquesne. Pin-Pon reparut en gesticulant sous la couverture enflammée, tel un macaque de Guyane. Une marchande l'aspergea, une autre étouffa les flammes en le couvrant d'une bâche.

– Yo andidan, an tann yo hélé! (Il y a du monde là-dedans, j'ai entendu des cris!)

Il allait encore s'y jeter si les pompiers, enfin arrivés, n'avaient refoulé la compagnie derrière les barrières mobiles soudainement apparues. C'était tristesse d'attendre ainsi, impuissants, à contempler les flammes. Les perches d'eau semblaient s'y perdre sans résultat. Des quimboiseuses, commères de Chinotte, jetaient contre l'incendie des malédictions à faire frémir. Deux pompiers glissèrent de leur échelle, soulevant des gerbes d'étincelles avant d'aller s'écraser. Quelques autres, soûlés par la vapeur d'alcool qui échappait aux flammes, titubaient sous les tuyaux. Le feu semblait invincible. Les pompiers aspergeaient les maisons environnantes pour décourager la bête de s'y agripper. La nuit amena ses vents, avec lesquels le sinistre alimenta son cœur. A l'aube, les flammes perdirent de leur arrogance. Les couleurs du rhum s'étaient pâlies, puis effacées. Le bois du Nord de l'édifice nourrissait maintenant un feu moins spectaculaire qui décupla l'énergie des pompiers. Avant midi, le dragon fut vaincu.

Les charpentes noircies fumaient sous l'eau qui les noyait. Des tibias et des calottes crâniennes furent ramenés des décombres. Mais on y trouva essentiellement du verre fondu, figé par l'eau dans d'artistiques contorsions. Les os furent rassemblés dans une bâchée où un médecin les classait selon des critères incompréhensibles. En concluant ce minutieux travail, il déclara qu'il y avait dans cet ossuaire sept hommes et deux femmes. Pour le marché ce fut clair : il y avait Chinotte bien sûr, la serveuse, et sept rhumiers dont nous pleurions l'anonymat sur l'autre route du destin. C'est alors que surgit Man Joge : Où est Ti-Joge ? Avez-vous vu Ti-Joge ? Profitant des événements en ville, l'ancien facteur avait disparu de son lit.

– IL DOIT ÊTRE LÀ-DEDANS! hurlait-elle en désignant la sinistre récolte de la bâchée.

C'est pas sûr... c'est pas sûr..., protestions-nous en manière de consolation, il est peut-être en promenade sur la Savane... Mais sachant qu'un rhumier ne quitte son lit que pour le sanctuaire des messes, nous fûmes à peine surpris lorsqu'un quimboiseur de la foule, penché sur l'ossuaire à la demande de Man Joge, ramena sans macayer ni hésiter ses tibias, trois de ses côtes, un jeu de vertèbres et la moitié de sa hanche. (Ti-Joge ho! c'est chose enviable que de mourir dans la gerbe du tafia!)

Man Joge sortit de cette infernale période quand le préfet en personne lui ramena le corps de son fils. Il venait présenter ses condoléances officielles : les médecins légistes n'avaient trouvé sous leurs couteaux que les effets spécifiques des matraques policières. Le préfet dit aussi, et c'était rassurant, qu'une enquête était ouverte afin de châtier le matraqueur et retrouver les marins. Man Joge enterra son fils, et les os de son mari, au cimetière des pauvres, dans une cacophonie de latin rituel et de slogans anticolonialistes. Il faut dire qu'après ces événements nous la perdîmes de vue. Pauline sa fille s'était mariée, et travaillait dans une administration. Il est dit que Man Joge vécut une vieillesse pleine d'ennui dans son appartement que le temps délabrait. On dit aussi qu'elle s'était mise à cuisiner pour elle-même des festins de baptêmes, et que chaque soir elle versait aux cochons élevés illégalement dans les bassins de la cour le contenu de ses marmites. On dit enfin que, s'il n'y avait plus de douceur dans ses yeux, elle ne perdit

227

jamais l'étonnante puissance de ses bras. Si donc, il nous plaît, du néant où nous sommes aujourd'hui, de l'imaginer toujours vaillante quelque part dans la vie, indestructible, menant une lutte qu'elle pourra vaincre contre la mort et tout le reste.

Feu de cœur avec une femme des nuits. Man Elo, chaque jour, à l'heure désertée du macadam, nous disait ce qu'il fallait savoir de Pipi. Elle allait guetter à travers les broussailles son ancrage dans la clairière maudite, sans qu'il ne s'en aperçoive. Tout y était au plus mal : l'ancien maître-djobeur semblait la proie d'un nouveau maléfice...

A une heure de lune, au sortir d'un babillage avec Afoukal, Pipi libérait son regard dans un ciel d'étoiles pour apaiser sa rage. A-a! un frôlement inhabituel se produisit à l'autre bout de la clairière. Ses yeux de chat scrutèrent la pénombre. Sans rien distinguer, il sentit presque physiquement une présence qui modifiait le sens du vent, répandait le silence, propageait du froid comme une porte de frigidaire ouverte à midi. Poils dressés, Pipi, pour la première fois, se sentit mal à l'aise dans cette clairière.

– Afoukal, Afoukal, kesse qu'il y a là comme ça?

L'esclave-zombi demeura silencieux. Son heure passée, la jarre s'était depuis quelques minutes déjà enterrée. Pipi tenta de se relever mais ses jambes se dérobèrent. A quelques mètres de lui, la présence s'imposait comme un amassement de nuages dans un ciel ouvert. C'est alors que Pipi se sentit attiré. L'envie de se laisser couler comme une rivière le possédait. A quatre pattes, il avança vers une silhouette qui émergeait de la pénombre avec des ondulations de voilage délicat. Et, patate crabe, la plus gracieuse des matadors de ce côté-ci de la beauté apparut. Elle avait des yeux de marigot sous une pleine lune. Elle avait une peau couleur terre du Nord accueillant la rosée. Roye roye roye roye elle avait les gros cheveux luisants des câpresses sans soucis. Elle avait le corps délié des coulies et des lianes, mais les rondeurs voluptueuses des chabines en trentaine. Elle avait, elle avait, elle avait, et elle avait encore. Pipi sentit l'amour s'installer dans sa poitrine avec son fracas de cyclone, sa fièvre de dalot mal nettoyé, sa procession d'envies.

– Comment donc allez-vous, petit mâle?

Le ton de la créature était à la fois doux et impérial. Sa voix diffuse pénétrait la terre, l'écorce des acajous, pour se dissoudre dans les feuillages avec un chant de pluie. Pipi en frissonnait. L'envie de cette femme le chevauchait comme une bourrique. Il lui semblait percevoir le désir qu'elle-même avait de lui. Elle l'aimait déjà, fout. Il fallait la rejoindre. La toucher. Lui parler. Pipi se mit à ramper vers elle avec l'inélégance grotesque d'un naufragé touchant la plage. Or, la distance entre lui et la belle ne se réduisait pas. Pipi ne s'en aperçut qu'après avoir rampé, aux dires de Man Elo, durant près de quatorze kilomètres. Lacéré par les épines des manzê-marie, les saillies de racines, les pointes de bois mort, son corps brisa le charme par une distribution de douleurs. Il se retrouva seul dans un bas-bois inconnu où filtrait un premier soleil, hurlant comme un chien à la pleine lune à cause de sa peau meurtrie et de la dévastation de son cœur labouré. Son errance dans ces bas-bois sans tracées dura bien quatre jours avant qu'il n'émerge dans la clairière d'Afoukal, effrondré comme un sac vide.

– Qu'est-ce qui t'arrive encore, mon fi?

La voix de l'esclave-zombi le réveilla. Il rampa vers l'emplacement de la jarre avec force : Hé Afoukal mon zanmi, si tu savais ce qui m'arrive là, oh lalala, une qualité de femme! Un genre de miel au sirop! Une bonne espèce de punch au madou!...

– Méfie-toi des belles femmes d'après minuit...

Le conseil d'Afoukal se perdit dans l'exaltation amoureuse qui possédait Pipi. Ressentant une faim jusque-là oubliée, il dévora des cœurs de jeunes cocotiers, des mangots verts, des moubins, des touffes d'herbes sucrées. Il dévala la ravine la plus proche pour s'abattre dans une eau de rivière où il passa des heures à se laver. Il lissa les poils enroulés sur ses joues, bêcha sa tignasse avec ses doigts, lava ses vêtements et les enfila tout humides. Il se parfuma les aisselles de citronnelle, puis revint dans la clairière, l'allure vaguement humaine. Son attente ne fut pas longue, mais il en ressentit dans chaque miette de sa poitrine l'inépuisable écoulement. Un épaississement de nuit. Un froid de vent sans vent. Une gêne dans sa perception du monde. Il se tourna flap! et vit celle qu'il aimait. (Comment dire Pipi, le tourbillon de l'esprit, la totale renaissance des fibres du corps, la vie qui change de sens et se met à l'embellie? Oh punch d'amour dévastateur! Même les rhumiers y laissent la tête...) Pipi demeurait devant elle comme un zandoli étourdi de chaleur, avec de fugaces impressions de revoir Anastase. Les mots en voltige dans son crâne, il cherchait du français, seul le créole venait. Alors il demeurait ababa, balançant sous l'étrange regard de la belle qui reculait. Victime d'un charme mener-venir, il parcourut dix-huit kilomètres cinq cent cinquante vers cette femme inaccessible. Cette fois, l'aube naissante, affolant des milliers de crabes rouges, le surprit dans une mangrove. Amer, légèrement divagant, il ne retrouva la clairière qu'au milieu de l'après-midi. Attendre la nuit fut cruel. Cette femme l'aimait à mort, il le savait, il le sentait. Mais quelque chose d'incompréhensible contrariait le désir qu'elle avait de lui. Qu'est-ce, mais qu'est-ce que cela pouvait bien être?

La réponse à cette question lui vint brutalement vers minuit, quand la mélodie de la jarre fit tressaillir la terre.

– Afoukal, elle croit que je suis dans-la-rue (démuni)! De l'or, donne-moi de l'or! Fais monter l'or pour qu'elle voie comment je suis richard!...

La soif de l'or l'avait brutalement repris. Affolé par le silence d'Afoukal, Pipi grattait furieusement la terre, s'écorchant les doigts, balançant par-dessus ses épaules des mottes noirâtres, pluie d'herbes et de frêles racines. Malgré sa fièvre, il perçut le tendre bruissement de la jarre qui s'éloignait. Sanglotant, il héla Afoukal : Noon reste là, pa fè mwen sa, noon ne pars pas, ne pars pas... La présence de son aimée se fit à nouveau sentir. Il bondit littéralement vers elle, mais demeura à la même distance qu'auparavant.

– J'ai de l'or, tu comprends, anni lô! Faut pas me prendre pour un vakabon... j'ai une jarre d'or!... Afoukal va me la donner...

Bras tendus, il avançait vers l'intouchable.

– Tu as de l'or, ti-mâle?

– Plein! J'ai une charge d'or... tu vas voir... mais attends... reste là... reste là...

L'étrange poursuite reprit. Les kilomètres défilèrent sous le pas chancelant de Pipi et l'irréel flottement de la créature, belle oo belle. L'aube la dissipa, et Pipi se retrouva au mitan d'un troupeau de moutons, écorché de partout mais uniquement accablé de sa solitude.

Pour nous c'était clair, et Man Elo avait raison : Pipi était victime d'un nouveau maléfice! Plutôt que de se réfugier dans l'hébétude amère qui lui tenait compagnie depuis le début de la fièvre d'or, elle rangea ses casseroles et déclara tout net : Je vais aller chercher son père pour qu'il arrête cette affaire-là... Marie-Jésus! Faire appel au dorlis!... En certitude, Man Elo était parvenue à une sorte d'extrémité au bord de laquelle, par un silence prudent, nous refusâmes d'avancer nous aussi. Mais là encore, elle avait raison : en matière de maléfices, point de meilleur recours qu'un maléfique! Elle effectua un voyage de retour au Vert-Pré où elle n'avait pas remis les pieds depuis sa fuite. La Reine se fit déposer à l'entrée du cimetière, alla s'agenouiller devant la dalle de Félix Soleil son père, essaya vainement de retrouver celle de Fanotte sa mère, puis s'approcha de la case sombre du fossoyeur et du dorlis. Le nègre Phosphore, seul immortel de par ici, se présenta seul. Man Elo, impénétrable, lui dit à mi-voix :

– Mais où est donc Anatole-Anatole, père de mon fils?

– Il est mort, ma fi, sanglota le fossoyeur.

Sans un mot de plus, il retourna aux ténèbres de sa case. Man Elo, désemparée, se rabattit sur le curé, qui, dans la pénombre du confessionnal, lui souffla religieusement l'autre longueur de l'histoire...

(*La fin tragique du dorlis.* Anatole-Anatole était mort bien malement quelque temps plus tôt. A son retour de Fort-de-France où il était apparu au marché en plein jour, il avait retrouvé son cimetière et la

232

compagnie de son père. La vue de Pipi, son fils, l'avait, semble-t-il, rempli d'un bonheur dont l'effet principal fut de décupler son appétit sexuel et ses visites nocturnes aux femmes imprévoyantes, se vautrant à corps perdu dans des plaisirs diaboliques. Son père, le nègre Phosphore, n'approuvait pas la chose. Il lui avait appris la Méthode, répétait-il souvent, pour apaiser sa passion pour la fille Héloïse Soleil, pas pour des vagabonnageries pareilles.

– Méfie-toi, lui disait-il aussi, le dorlis a ses faiblesses, et il y a des gens qui les connaissent...

Mais le jeune engagé n'en avait cure. Il faut dire qu'il avait considérablement amélioré la méthode de son père. Pour l'arrêter, il fallait désormais, pas une, mais bien deux culottes noires enfilées à l'envers, avec, en plus, une paire de ciseaux ouverte en croix sous l'oreiller. Comme bien peu de femmes réunissaient ces conditions, sa vie amoureuse était d'une richesse qu'envieraient tous les séducteurs kalieurs de Fort-de-France et de Miquelon. Mais, mesdames et messieurs, nous l'avons déjà vu, le destin recèle maintes cruautés pour les insouciants des règles de la mesure.

Une nuit, Anatole-Anatole venait de pénétrer dans la chambre d'une belle endormie, salivant à l'écoute du souffle de la femelle en rêve, quand il se sentit enveloppé d'une givrure. La sensation était inhabituelle. Le maître-dorlis se tint sur ses gardes, prêt à riposter à un jet de contre-charme. Les minutes passèrent. Rien ne vint. La belle était toujours endormie. Anatole-Anatole percevait l'excitante odeur de son corps réchauffé par les draps. Il attendit encore un peu, puis, n'y pouvant plus, la formule magique à la lèvre, il couvrit la belle de son corps glacé par le travail du maléfice. Le dorlis besognait déjà depuis quelques minutes, attentif seulement aux irradiations voluptueuses de ses nerfs, quand il sentit le corps chaud et souple de sa victime prendre brusquement la rigidité glaciale des chairs possédées. Anatole-Anatole comprit instantanément : la belle était aussi engagée auprès d'une force occulte! Il tenta désespérément de retirer son membre, de se rejeter tout entier en arrière, de se dégager des draps qui semblaient s'animer, et du lit saisi d'ondulations diaboliques. Un grincement résonnait dans la gorge de la possédée, ses paupières s'écarquillaient sur des pupilles de chat. Notre Père des cieux, pardonnez-nous de raconter pareille horreur, mais il faut savoir qu'Anatole-Anatole, épouvanté, sentit un froid polaire irradié du corps de sa victime aspirer et consumer ses chairs comme s'il se fût agi de braises véritables. Le dorlis congelait littéralement. En se solidifiant, l'eau de son corps broyait toutes les fibres de sa chair. La douleur le secouait de décharges. Ses oreilles, ses lèvres, son sexe tombèrent en miettes givrées. Nul ne sait comment il parvint à se sortir de là. Par la force de son propre maléfice? Par une faveur de la possédée? Quoi qu'il en soit, on retrouva son cadavre blanchi comme une peau de touriste, castré, écorché sur toute la face ventrale, avec sur le visage l'horreur indescriptible qui saisit les damnés aux abords du grand saut. Le médecin légiste, peu au fait des mystères de la vie, diagnostiqua un cancer de la peau et une mort par infarctus... Seigneur, je ne suis pas digne de Te recevoir, mais dis seulement une parole et je serai guéri. Laissez-moi prier.)

La jarre émerge. Bien entendu, Man Elo ne versa pas de larmes sur la triste fin du dorlis, et nous qui craignions confusément de la voir réapparaître en compagnie de l'Horrible, fûmes soulagés de l'apprendre. Nous nous assîmes avec elle, près de ses casseroles ternies, sous un manteau d'air immobile. Dans le marché alangui, la bonne odeur des fruits avait un peu suri, les feuilles affranchies décoiffaient les allées. Autour des établis luisants comme des tombes, un premier vent de nuit traversait les silences. Les yeux de Man Elo disaient qu'il n'y avait plus rien d'autre à tenter. Cela nous fit l'impression d'une chute vertigineuse, la détente d'un abîme prédateur collé à notre ombre. Nous allâmes nous affaler sur ces caisses que nous ne quitterions plus : Pipi, désormais, devrait seul démêler sa quête, en une fatalité achevée.

Le soir tombait quand il rejoignit la clairière. En route, il avait dérobé un coutelas et une pelle. Rien, non rien ne pourrait désormais l'empêcher d'arracher cet or à la terre. Sa farouche détermination ne vacillait même pas à l'idée d'affronter Afoukal. Il guettait impatiemment la remontée de la jarre, pelle au poing, prête à creuser. Quand la terre frissonna, que le chuintement familier se fit entendre, il se mit à creuser à un rythme d'enfer.

— Pipi mon fi, qu'est-ce que tu fais?

Incrédule, menaçante, la voix d'Afoukal jaillit avec une netteté de source souterraine.

— Donne-moi l'or, Afoukal, donne-moi l'or!

La pelle tranchait de molles racines, claquait contre des pierres. Brusquement, elle cogna un amas de tiges très blanches, très dures. LES OS! LES OS D'AFOUKAL! Pipi s'arrêta flap. Une vieille crainte lui glaça la peau. Il s'attendait à voir la pelle s'emflammer, à ressentir les douleurs prévues par la rumeur. Mais rien ne se produisit. Sous la pelle, les os demeurèrent inertes.

Une maçonnerie de silence figeait tout. Pipi fermait les yeux, un peu à cause des coulées de sa sueur, mais surtout par crainte de voir se produire les monstruosités qu'il imaginait. Ce décor pourtant familier prenait soudain de nouvelles dimensions, l'écartait comme une écume étrangère sur une eau agitée.

– Pipi mon fi, qu'est-ce que tu as fait?

Curieusement douce, la voix d'Afoukal remplissait la clairière. Elle enveloppait Pipi à la manière d'une soierie légère avant de se dissoudre dans les moutonnements sombres des raziés, sifflante comme du cristal. Pipi désespéré répéta à son autre lui-même, son confident maître et ami, qu'il voulait l'or, que c'était pour lui l'unique moyen de cueillir son aimée, qu'il avait longuement attendu et que l'heure était là. Afoukal demeura silencieux, comme atteint quelque part entre ses derniers os. Enfin, sa voix perça le tapis d'herbes sombres.

– Eh bien mon fi, regarde...

Pipi sentit la terre onduler sous ses pieds. Une bête puissante semblait s'y réveiller. La périphérie de la clairière parut s'affaisser tandis que son mitan gonflait comme un dos de bossu. Renversé, l'ancien roi des djobeurs assista au prodige du sol qui s'ouvrait gracieusement, véritable corolle d'hibiscus nimbée de volutes brumeuses et d'une âcre odeur d'argile chaude. Le silence précéda brièvement un claquement de bouchon qui se libère. Jaillie de sa gangue, crayeuse et irréelle, fumante comme un poitrail de buffle en sueur, la jarre flottait au-dessus d'un cratère boueux. Parée d'une aura magique, elle avait l'élégance d'une libellule immobile dans le vent. Elle

ondula au-dessus du cratère, harmonieusement soulevée par un mouvement d'air, puis évolua dans la
clairière en de lentes arabesques. Quand elle se posa
enfin devant lui comme un oiseau docile, Pipi était
pétrifié. Cette jarre, ce trésor dont rêvaient tant de
nègres amarrés en déveine, était là devant lui, soumise.

– Afoukal, je peux la toucher?
– Tu cherches quoi?
– L'or...
– Eh bien, regarde tes affaires...

Brusquement libéré, Pipi se précipita sur la jarre.
Arrachant le couverce de ficelle et de toile de jute
pourrie, il s'agrippa au rebord arrondi et voulut se
pencher sur l'ouverture. Sous son poids, la jarre
s'effrita. Un nuage de poussière suffocante tourbillonna. Pipi tenta vainement de la balayer de ses bras.
Tombé à genoux, doigts en éventail, il tâtait les débris
de la jarre, pinçait chaque résistance, quêtait dans la
moindre forme la courbe d'une pièce, les ciselures
d'un bijou. Ses mains ne ramenaient que des choses
indistinctes, fuyantes comme du sable sec. Quand
la poussière retomba, vautré dans les restes, il tria
fiévreusement une masse cendreuse à l'odeur rance.
Une demi-heure s'écoula avant qu'il n'admette clairement l'absence totale d'or. Une autre lui fut nécessaire pour comprendre qu'il n'y en avait jamais eu.

Ce qui avait été l'essentiel de sa vie gisait à ses
pieds, ruines d'os, d'argile cuite, d'effritements
méconnaissables. Pipi titubait dans la désolation.

– Afoukal, Afoukal, mais où est l'or, où est l'or je
te demande, où, où...

Ses cris provoquèrent ce sifflement d'âme libérée,
familier aux parasites des veillées mortuaires à

l'heure ou le défunt ramasse la monnaie de sa vie. L'ancien roi des djobeurs comprit immédiatement qu'Afoukal était au bord du grand voyage, le seul définitif repos sans nulle longueur. La voix du zombi lui parvint déjà décroissante : Eh oui mon fi, pièce d'or, pièce bijoux, les vieux nègres d'ici croient encore que toutes les jarres plantées en terre contiennent des trésors... ils ont raison, mais ils oublient que toutes les richesses ne sont pas d'or : il y a le souvenir... Cette révélation aurait pu terrasser Pipi. Mais elle se perdit dans l'euphorie où le plongea la soudaine apparition de l'étrange matador. Le spectacle de la clairière dévastée semblait la gêner. Elle regardait autour d'elle avec des yeux papillonnants.

— Tu es quimboiseur, ti-mâle?

Le curieux regard troublait Pipi. Il y décelait une prudente réserve, un retrait imperceptible qui détruisait l'impériale assurance des nuits précédentes. Sans trop savoir pourquoi, notre homme décida d'exploiter cette méprise.

— Pourquoi tu veux savoir ça, ma câpresse?

Il avait retrouvé ce ton qui impressionnait les jeunes marchandes lors du paiement des djobs.

— C'est toi qui as fait chanter la terre et libéré l'âme ancienne de la jarre?

La créature avait reculé, étrangement sur ses gardes. Son regard avait perdu toute douceur. Deux billes dures et glacées scrutaient Pipi.

— C'est moi-même, madame, c'est moi-même! Et je peux faire plus que ça, se pavana-t-il.

— Tu sais donc qui je suis!

La voix avait claqué, sèche, vibrante, éraillée comme un sanglot de bambou. Pipi n'en crut pas ses oreilles. Ebahi, il contempla cette créature de rêve d'où émanait à présent la méchanceté d'un troupeau de chiens fous. La belle piaffait de colère. Des coups sourds ébranlaient le sol, soulevant autour de sa robe blanche des nuages de terre. Quand elle fonça sur lui, il aperçut les horribles sabots naissants à ses chevilles. Quand elle s'agrippa, il vit les pupilles de feu et les rides millénaires, la tignasse de ficelle jaune, les crocs luisants et la bave maladive. Quand le froid l'envahit et que seuls subsistèrent dans sa chair morte les sursauts désordonnés de son cœur, il comprit que Man Zabyme, notre plus redoutable diablesse, celle qui te grille le cœur du charme d'amour avant de te le manger réellement, beuglant de plaisir au-dessus de ta poitrine ouverte, venait de l'emporter. (Saint, cœur du matin, priez pour nous!)

On ne retrouva rien du grand maître des brouettes, fils de dorlis, roi de nous autres djobeurs. La rumeur disait qu'il avait halé la jarre d'or, libéré Afoukal, mais qu'il ne s'était pas suffisamment méfié de Man Zabyme. Les vieux chercheurs d'or, conseillers de Pipi au début de sa quête, avaient brisé leur immobile attente pour se rendre à la clairière et recueillir des poussières de la jarre dans de petites calebasses. Man Elo s'y rendit aussi et, avec l'aide des enfants de Marguerite Jupiter, elle ratissa les broussailles des alentours, implorant une réapparition de son fils. Sa tristesse imprégna durant vingt ans les feuilles basses de cette forêt maudite. Elle regagna le Vert-Pré sans même une escale au marché, où demeurèrent toutes ses casseroles. Elle retrouva, paraît-il, la maison de son enfance, là où Félix Soleil avait pleuré sur sa tribu d'oiselles. On prétend qu'elle reprit les manières discrètes de sa mère, au point que dans la maison, éclairée, grande ouverte, nulle vigilance ne l'entend exister.

Quant à nous, Didon, Sirop, Pin-Pon, Sifilon, Lapo-chodé, un autre genre de diablesse nous dévore. Epuisés sur les caisses, serrés les uns aux autres pour conjurer un froid lancinant, nous disons et redisons ces paroles, ces souvenirs de vie, avec la certitude de devoir disparaître. Vous en donner cette version nous a fait un peu de bien, si vous venez demain vous en aurez une autre, plus optimiste peut-être, quelle importance ? Cela se sait maintenant : l'Histoire ne compte que par ce qu'il en reste; au bout de celle-là rien ne subsiste, si ce n'est nous – mais c'est bien peu. A la disparition de Pipi, la douleur nous mit en grappe, comme nous le sommes maintenant, incapa-bles du *Je*, du *Tu*, de distinguer les uns des autres, dans une survie collective et diffuse, sans rythme interne ni externe. Nous tressaillons encore à la rumeur d'ouverture du marché, aux grincements des paniers débarqués sans nous, aux senteurs mêlées de quelques fruits... Ô douce absinthe.

Elmire fut la dernière à pouvoir encore nous remar-quer parmi les caisses : elle en avait tant vu! Mais elle a délaissé son panier caraïbe pour un voyage en cercueil. Depuis, personne ne nous voit plus, ni ne nous cherche, il suffirait pourtant d'un souvenir, comme un appel au djob... mais laquelle de ces marchandes pourrait le faire? Laquelle nous a connus? Et ce serait pour quoi faire? Elles en ont si peu à charroyer! De plus, le gardien municipal a livré nos brouettes au camion de la voirie, amer peut-être de nous imaginer dans cette belle vie de France où alluvionnent les disparus, et – messieurs et dames bonsoir – il nous est très agréable de ne pas le détromper.

Annexe

Neuf mois pour la reconstruction du Grand Marché de Fort-de-France

La municipalité de Fort de France a tranché : le grand marché de la rue Saint-Louis sera reconstruit, en dépit d'une valeur historique qui eût incité à le restaurer.

Depuis quelques semaines, les marchandes ont évacué la bâtisse, pour une « résidence » à la Pointe-Simon offrant à leur goût moins de commodités, et l'on sait que ce transfert ne s'est pas effectué dans la plus grande sérénité. Mais il faut ce qu'il faut... En tout cas, ce déplacement du lieu du marché est le premier pas d'une opération qui devrait connaître son terme dans neuf mois : la reconstruction de l'édifice.

Reconstruire au lieu de rénover ? La question vaut d'être posée car à l'évidence, la structure qui abritait jusqu'alors les marchandes est d'une architecture témoignant d'un contenu historique et à exagérer un peu l'on serait tenté de l'inclure dans

le patrimoine foyalais. Certes, certes. Mais aux dires des responsables de la municipalité, une restauration dans un cas d'espèce où la qualité du métal d'origine n'offre pas toute garantie de durer, ce serait peine perdue. On va donc reconstruire, mais à l'identique, précise-t-on. Les éléments de la construction future sont actuelle-

ment en fabrication au Canada. C'est la même entreprise qui a vendu à la ville de Fort-de-France le Grand Carbet du Parc Floral qui a été retenue...

Le coût total de cette opération s'élève à 14 millions de francs; avec une participation de l'État à hauteur de 560 000 F et une subvention du Conseil Régional de 1,4 millions de francs.

Journal *France-Antilles*

NOTE DE L'ETHNOGRAPHE

Aujourd'hui : plus un seul djobeur dans les marchés de Fort-de-France. Plus une seule brouette. Leur mémoire a cessé d'exister. Son ultime réceptacle, le vieux métal des grilles, n'était pas fait pour durer. Ceci pour vous dire, amis, de prendre bien soin de vous; arrosez vos différences et soyez vigilants : seul l'ethnographe pleure les ethnocides insignifiants.

243

LES CRIS DU DJOB

KWILILIK-KWILILIK!   *(Indicatif de Sirop – l'indicatif sert à signaler l'arrivée du djobeur dans un marché, à informer ses marchandes attitrées qu'il arrive.)*

BLOKOTOBLO!   *(Indicatif de Bidjoule.)*

KOT KOT KOT KODEK!   *(Indicatif de Didon.)*

KRIGNAK KRIGNAK!   *(Indicatif de Pipi.)*

ÉMILE BERTIN!   *(Indicatif de Lapochodé.)*

DJAKA!   *(Indicatif de Sifilon.)*

KIA – KIA – KIA!   *(Indicatif de Pin-Pon.)*

MACH!   *(Quand l'obstacle est un chien ou un ennemi connu. Ce cri est aussi utilisé quand nous avons envie d'un combat avec l'obstacle.)*

BLO!   *(Quand la brouette a cogné quelque chose ou quelqu'un, ou quand elle va le faire. Ce cri veut dire : c'est un accident, scusez, c'est pas volontaire...)*

BLOGODO!	*(Quand la brouette est renversée. Il accompagne sa chute en vue d'en limiter magiquement les dégâts.)*
WOUABAP!	*(Signale la fin du djob. Que la marchandise est arrivée à bon port et qu'il faut bien payer.)*
WOY WOY WOY!	*(Signale l'énervement du djobeur quand les obstacles s'écartent mal. Cela veut dire qu'il laisse la brouette se conduire un peu seule et dégager sa route.)*
PINLOMLIMPE!	*(Destiné à disperser l'obstacle quand il est constitué par un groupe de personnes.)*
CHO CHO CHO!	*(Quand la manœuvre est délicate : slalom entre les autos ou entre des passants. Ce qui conjure la faute.)*
DOUDOU DARLING!	*(Quand l'accident a été évité de justesse.)*
BAY LÊ – BAY LÊ!	*(Cri répété sans cesse quand la course est rapide et que l'on risque de ne pas pouvoir tout éviter.)*
PIN PON – PIN PON!	*(Signale que l'on s'estime prioritaire : dégagez, sinon il y aura des blessés.)*
CHOU!	*(Quand l'obstacle est unique : rhumier en dérade, gobe-mouches, poète gros-sirop ou commère en parlote.)*

LA CHANSON DE KOULI

(père d'Anastase)

Hé mérilo hé mérilo
saki vayan lévé lanmin
saki vayan tonbé si mwen

Manman ban mwen dé fey maho
idi mwen pasé simtyè
anké touvé twa ti serkèy
prèmyéé tonm-la sé an kongo
dézyèm tonm-la sé an kouli
twazièm tonm-la sé an chinwa

anké janbé sé ti tonm-la
anké kriyé woy mérilo
saki vayan lévé lanmin
saki vayan ranté an sèk-la
saki vayan tonbé si mwen

anja pasé trantdé komin
trantdé komin de matinik
toujou plié janmin tonbé
si an tonbé an lizin krasé
si an tonbé latè tranblé
si an tonbé lémô lévé

adan an komin pa ni dé mè
si ni an mè sé mwen ki mè
hé mérilo hé mérilo

PAROLES DE DJOBEURS

Ces textes servaient de respiration au texte originel. Là, les djobeurs s'adressaient au lecteur et continuaient à faire vivre au quotidien le marché, tandis que l'histoire, au gré des biographies et des aléas, s'en éloignait. Le texte initial était d'une complexité qui voulait rappeler le fonctionnement normal de la mémoire, fonctionnement jamais linéaire, tout en ruptures de temps, de lieux, de tons et de manières. Ces poèmes, ancrés au marché, étaient de petits pivots semés régulièrement, ils servaient de repères et rappelaient le repère, comme phare et balises dans le jeu des tempêtes. Le récit ayant été ordonné, clarifié, ils tombèrent presque d'eux-mêmes.

P. C.

Djober c'était
                parfaire désespérément
                l'indispensable création
                de la brouette

Chaque marchande avait son djobeur
attitré

Le djob nommait surtout
la préférence
et les délicates pimentades du sentiment

alors djober c'était
                l'ultime rempart du saut.

                              *

Géographie du marché

Savoir l'angle des poteries et balais
la langoureuse courbe des herbes de vie
et des fioles occultes

Au centre
l'imposant campement des légumes et des fruits
(forêt de tous les verts et des couleurs exactes)

Venait alors le divers, l'indistinct
et même l'inattendu des établis libres
aux invites des portes

Une rumeur tissait le tout
et poussait nos silences amers
chevaucher les brouettes à l'écume de la frange.

*

L'air séchait
les allées blanchissaient

Les feuilles vertes se troublaient
Chaque fleur s'épuisait

Les tôles du toit semblaient
se rapprocher

Bouger c'était mourir
comme l'asphalte mollissait

lumière adamantine
briseuse du regard, mi
craquelant des évocations de mousse fraîche
et de gouttelettes dans une pénombre

Oo pas un dos sans courbure
              de chien mené d'une langue

Les odeurs
perdaient les équilibres
éventails de bakoua
et tous mouchoirs défaits
les peaux noires savaient briller

le fer des bombes de margarine
écaillait les peintures
et bouleversait l'eau tiède

Nul moyen de savoir
si c'était le carême
ou l'acmé de ce mal

Paix là quand la chaux passe

※

Voici la joie seule : celle du macadam.
Nous le prenions sur l'établi de la grande
porte où officiait Man Elo, reine du riz à sauce
jaune et de la morue bouillie au piment vert.

Il fallait manger ça
entre des lampées de tafia
chaque œil en véranda

savoir être vaincu par les bouchées
très lentes
et l'irruption d'extase
(et la reine triomphait)

Pipi alors branchait son transistor
pour les Avis d'obsèques
et
dos courbé à l'écoute des déveines
nous quêtions entre nos chicots
des rognures de cette joie.

※

La Biguine des piments

Faut pas croire
mais il y avait toujours des yeux de *piments-zouézos*, peti
comme des papillotes d'enfants, que tel ou tel nègre de
dèche emmenait-aller partout dans le jour défilé

*Or le piment-zouézo est petit
mais son coup est très raide*

Donc,
dans ce plat de fruit-à-pain mou, battaient les sauts du
piment-café et du *piment-z'indiens* : ils annonçaient toujours cette grosse marchande au grand chapeau qui menaçait sa vie de bras méchants, entêtée comme le *piment
pour-sept-courts-bouillons*

Or le piment-pour-sept-courts-bouillons
pouvait t'en chauffer plus, au plus exact

Attention,
ne pas prendre le *piment-lampion* pour lampion : sa seule
lumière était le feu du goût, le feu du boyau, le feu du
débouché des boyaux. C'est pourquoi les gendarmes qui s'y
trompaient, voyaient l'écale de leur tête se fendre sous le
coutelas, malgré le sourire et l'air soumis

Or le piment-lampion fait la loi
dans le blaff de poissons
sans merci, Directeur

Mais regarde ça :
l'année n'avait besoin que d'un seul *piment-bouc* : il défiait
le gardien municipal, maniait sa tête en pilon sauvage, et
t'étoilait le front en Nord définitif
Roye, Tête si dure se donnait rare !

Or le piment-bouc c'est trésor de canaris :
la sauce est soulevée et l'odeur bien cousue
Seuls trois fous l'ont piqué d'une fourchette
quand il avait bouilli
Le migan c'est chez lui

Tout de même :
c'est bien Man Jacques Matador callipyge, qui distribuait les
plus doux souvenirs, tu croyais renverser et te voyais tourné-
viré dans un souskay où tu criais uu-aa, et pleurais à la fin,
bien parti en gros-poil

Or le piment bonda-man-jacques
était gros de promesse
et tout bonnement offert
dans le macadam

*

Qui peut dire
maintenant
dans quel côté bat sa misère
Théolème la Pierrotine
Elle portait ses dents à l'embellie
et son rire fendillait les dames-jeannes

Mais où es-tu Carmélite
aux cheveux de nuages
ton air de bœuf méchant
démentait ta courbe de goyave
et ton œil de caïmite douce

Parlez-nous d'Artémise la Coulie
qui grinçait comme bambous mûrs au vent
Et Sans-souci
fleurie des rides d'avant l'heure
Quelles nouvelles de Suzette
qu'on amusait en castrant les chiens-fer

Mmmh souvenirs cordiformes
descendant sans calage des jours vides
nous traversant et repartant chargés

réalité fragile.

*

Qui a dit que cette ville était laide
mais qui qui qui a dit ça?

Et son cantique de midi
où elle cliquette au rhum
se coiffe d'écoliers
et d'auto échappées, quand même?

Et son front d'une heure et demie
où un serein tiède
redépose la poussière
aux talons des façades, tout de même?

Et le venir du soir
où lustrée comme graines-dés
elle abonde aux vitrines en halos
de lumières, eh bien bon dieu?

*

Les samedis, venaient les chanteurs alliciants
Chansons légères comme mouches
et cadences mandolines
Toutes les branches du marché
convergeaient là même
feuillues de toutes piécettes
et de cœurs de marchandes

Ils n'avaient pourtant pas
nos bons quartiers de jambes pour les courses
en volée
Pièce de nos épaules en dame-jeanne
exactes dans la courbe des gros-sacs renversés
Même pas nos bras noueux comme d'excellentes
racines

et nous déniions à leurs banjos
la force somptueuse de nos brouettes
(sachez ingrates marchandes
qu'un djob bien fait
est bien meilleure musique)

*

Jours brisés dans l'émoi
et la venue du sang
l'affolement submergeait
quand le coutelas sifflait

Couteaux-chiens hors des poches
Rasoirs Becs-mer semés

La conque de lambi s'envolait
sssssst redoutable
oo viseurs meurtriers

Tout était soudain et incompréhensible
un babélique désastre attendait la police

Coqs de maîtres inconnus
et pour d'invisibles joueurs
nous fracassions nous-mêmes
d'une violence de pitt.

*

La dernière parole sur Man Goul

Man Goul
tu avais halé le peuple des cannamelles
vers les fleurs les plus longues
et les plus lointains sucres

le coutelas
avait fourré dans les os de tes bras
la chanson pour mandolines sans fils
où les mangroves séchées recueillent leur viatique

Oo sarcleuse
tu y brisas tes reins
de délacer patiente les petits chants du sol

il faut dire
que ton infinie misère
loin dans le trou du crabe des tristesses
t'avait laissé aux yeux l'étincelle verte des plantes

255

et que la boue
dérisoire trésor mais trésor tout de même
confia ta peau aux résistances
des croûtes qui enserrent les magmas
et
à la plus exacte des couleurs de la terre.

*

Savoir aussi l'autre vertige : nous renversions
les marchandes à la file, et décomptions ensemble
nos listes d'enfants dehors

Chaque coup dans les soupirs (dominée, la femelle!)
augmentait nos feuillages de profonds bruissements d'être

(Ti-Joge, tu battais le record des coups de coq, et dans nos
yeux ça te laissait un trône)

Nous autres, faibles encore de l'emprise du cœur
et de l'obligée allure de crabes à Pâques
O calotte de l'amour
(buvez pour nous, rhumiers)

*

Didon, ta dérade commença à l'heure où la brouette perdit
sa roue et brisa son essieu. Ton dimanche fut perplexe
devant ta boîte d'outils, indéchiffrable une fois ouverte

Une bricole pour la panne
Ton regard sans parler
Ta langue aussi

Tu commenças ces brusques volte-face de tous les dix
mètres, voulant surprendre comme nous, cet abîme que tu
disais te suivre

(depuis une charge de temps, nous ne tournions plus la tête
pour ce coup d'yeux au vide : tout droit devant.)

*

(D'abord l'absinthe et la décolle)

Dans le dimanche matin
le djob n'était que fleurs
et la brouette légère nous laissait passer
le linge blanc
les santiagos
et le chapeau de paille

Lustre des petites pluies
et tatouages de soleil : les rues prenaient
l'air à hauteur des poumons

Nous garions les bêtes
pour prendre la transhumance
vers la messe de huit heures
et renouveler nos fioles d'eau bénite
pas plus loin que le porche

Boudin chaud de onze heures
et macarons hardis pour les ronds détendus
dans les deux cimetières

Aa la grand-messe de midi
où le rhum fait l'abbé
nous travaillions les têtes-marées
à coups de quatre doigts
sans citron ni madou
mais beaucoup de vocal

Et puis le djob du retour
pour le restant des fleurs
Les marchandes étaient plus belles
et portaient leurs bijoux

C'était ensuite
(si famine écartée)
le Noilly-prat

la fricassée de poule dans une case claire
près d'un bouquet offert

Un dormir jusqu'à plein ventre
dans la chaleur

hé-hé! six heures
moment de glissade vers les tamariniers
où nous tâtions sous un serbi bien raide
les deux méchantes graines des dés

(mais d'abord l'absinthe et la décolle)

*

Nous confondions déjà les nuits
dans une seule insomnie

Quand il nous fut impossible de dire
où était Lundi
si là même c'était Jeudi
ou si avant venait Samedi

> un Quimboiseur fut alarmé de cette
> vie sans semaine et il y eut deux
> larmes écrites quelque part

Quelle importance pour nous?
Le temps faisait partie de nos boîtes
à outils.

*

Aux dernières nouvelles
Ephermise se change en tortue
à grosses écailles vernies
avec deux ailes de poule blanche
et une queue de chien-fer

Flap-flap de son vol
et poussière inconnue

en disparaître sans monter ni descendre
dans l'écho germé des tôles

(pas besoin de voir ça, pitite,
plante tes yeux dans les flaques)

Hé-hé! curieuse donne des gaz vers le Sud
loin du Nord chevelu pour marronne
qui te branche si bien
au mitan des forces protectrices

Hé-hé! sacrée histoire c'est pas pour croire
mais Ephermise a pris le Sud
              cri fixe en soif
              où les racines n'ont aucune eau

                    ✳

Une vieille haine nous jetait
contre les chiens que nous coincions
pour ferrer dans l'allée centrale du
marché sous le préau des Syriens et
le dessous des camions nous n'avions
aucun panache de lune ni d'aube
réelle qui nous saluait cravachée
d'inexplicable notre détresse
vénérait des souvenirs oubliés
et seul suivait les dépouilles
le goût sans feuilles des arbres
brûlés.

                    ✳

Petite journée de fond du jour
quand l'après-midi a renversé ses ombres

Le marché n'a qu'un seul frémissement
et l'ombre des grilles commence à raccourcir

Oo fontaine
gros robinet de cuivre

cracheur de fausses vagues
illusion de cascade
tu devenais Papa d'un peuple desséché

Nous rôdions hagards
autour de ta glue verte
plus absents et flapis
que ces mille légumes aux cœurs trop descellés

*

La brouette de Pipi
devint une poudre lunaire qui collait au ciment
Les ménagères municipales
y laissèrent leurs balais
et la voirie deux pelles

Au-dessus
la pluie partait à contresens
le soleil s'y perdait tout bonnement comme
dans les peaux très noires
Présence adiabatique

On envoya descendre
du vocal sur ce mystère

Avec ça
charges de mois filèrent
sans détresse sous pièce cil

*

Le petit poète du début de Décembre
vint chercher des pur-sang
            (é-é! paysages de rats sales
            et de brouettes jattelées)

Prophète des ferveurs et des souffles solaires
il voulut empoigner des monstres
disperser des écailles
            (a-a! petits dessins de dos courbés

260

sur paniers mal remplis
torpeur tiède et luisante
malcadi invisible
Ombres des grilles pour émoi)

Il visionna des sagaies de bambous
des forêts en marche dans des échauffourées
L'ennemi était bouté du rêve
et l'Aube inévitable
(hébin! douceur soigneuse des punchs
cliquetis de cuillères
mégots froids et senteurs d'ananas
paroles tranquilles
et yeux déménagés)

Il quêtait la rumeur des jungles
dans une alchimie vitreuse de savane pétrifiée

Petit poète, hurlait Elmire,
vois ce que tu dois voir
et si c'est danse de fourmis rouges
sur crachats jaunes sucrés
regarde la vigueur du charroi

(à l'époque où Pipi vivait dans sa
clairière, nous initiâmes le petit
poète, à l'écoute des mûrissements
cryptiques et aux joies désespérées
du macadam et du piment)

*

Sous la pluie
les tôles du marché étaient en Noël
de longues larmes venaient doubler
les grilles tchiii gloooo

Les dalots coulaient neufs
miroirs d'étals humides
de légume en santé
et de fruits rafraîchis iiste suiii

261

Malgré l'abri
des perles nous traquaient la cheville
chasseresses bondissantes suitt pitok suii

En face
un chien hésitait toujours
entre nous et le bain gloo wââr

Plus sombre
plus frais
les odeurs pâlissaient dans l'écoute
des milans de l'eau tombée du ciel tchuii glooo.

*

Louanges d'Elmire la voyageuse

L'âge t'avait battue
et à l'heure qu'il était
nul souvenir de toi sans ce lait sur la tête

Oo Elmire
Elmire
couenne de talons des zombis erratiques
ta peau avait barré des vents
et tes yeux chercheurs des sept merveilles
avaient ramené du monde d'abord les sept misères

En final
à l'heure qu'il était
quelle compagnie autour de ta parole !
quel émoi pour ta mémoire !
Nous autres encore sous la coquille
et toi briseuse de l'œuf

Toi
qui avais libéré ton regard
sur des terres qui bleuissaient le loin
jamais tu ne disais qu'ici c'était petit
Toi-même

262

qui avais vu ferveur contre balles
et regards de peuples
en marigots luisants sans éclipses
jamais tu ne disais pour ici la lâcheté

Oo tu percevais la haute complexité
des raziés du malheur
sans peigne durant des siècles

tu t'assurais penchée sur nous
sans briguer de tornades
du tremblement des chairs
et
toi totem planté
nous gardant la chaleur des paroles
dans un amas sonore de couvées éternelles.

*

C'est Sirop qu'une marchande
injuriait en le criant noir
comme Béhanzin

Nous refusâmes du coup de djober
ses paniers

Seul Sirop acceptait au quart de tour
ses courses
il lui faisait merveille dans les
embouteillages et lui mouillait
tous fragiles légumes au soleil battant

extasié par l'insulte.

*

Les rats prirent possession des
établis, des sacs de pois et des
boîtes de carton où dormaient les balances

263

Ils remplirent tant la nuit
qu'ils débordèrent au jour entre
les premiers talons, les pommes-cannelles
fraîches, les dachines et les herbes peignées
Passé l'effroi
on s'habitua à cette tresse de poils sales

Rôôô l'ombre des trous-crabes et des dalots perdus
tiraillée d'un gros-poil
et sans crainte du soleil
avait fixé son Nord au nombril de notre nuit
et cette commère-là venait nous rencontrer

                (ça va très bien, merci).

               *

De profundis

Pas un ne s'étonna quand les avis
d'obsèques durèrent six heures et
demie Nous bloquâmes nos brouettes
dans une angoisse très fraîche, dos
courbés par chaque déveine nommée

Odibert entendit son nom au deuxième
quart d'heure Il n'y avait plus de
vie dans ses yeux depuis une charge de temps
et sa seule odeur était celle du poivre
Sa robe de religieuse recélait les écailles
du voyage permanent au pays de la chaux

Elle ne fit pas son corps sauter
Nous non plus

Au silo des courses nulles
et des légumes jaunis en panier à gros-poil
pire que le mystère des outils
mûrissait l'horreur quotidienne
de la mort qui précédait la mort

(ma commère, pour toi comme pour nous
les Avis retardaient).

264

Ton dernier réflexe fut cette poignée
de terre collée à tes yeux myopes
où nulle énigme ne se défit
nulle indifférence ne se réchauffa

Tu demeuras étrangère à cette terre
étrangère
et
t'effaçant comme une eau trop légère
sur une pierre de carême
tu laissas un caveau inutile
(même dans la mort
tu craignis la racine).

*

Il y avait des légumes que nous ne voyions plus
et des herbes en disparaître sans traces

Aucun razié ne livrait de fruits libres
et mille cinq cents fleurs n'avaient plus
de soleil

Remplies à moitié
les paniers de marchandes laissaient
ivres nos brouettes
et nos yeux hors couleurs
les mornes ne venaient plus en ville
et l'oubli là-bas faisait sa discipline

Oo marchandes sans vocation
Jeunesses égarées jusqu'ici par menace de la vie
folles oublieuses des noms anciens
par nous-mêmes négligés

                    savez-vous que de nous
                    il ne restera plus
                    qui-ça nommer

saison-mangots promise sans fruits.

*

Nos insomnies surprenaient quelquefois
le chuintement des voitures somnambules
qui roulaient sans chauffeurs et sans but
dans les sens interdits

*

Penser au jour vraiment triste. Soit parce que le serbi de la
veille avait saigné les dés, soit parce que la fatigue d'un zouc
faisait fleurir les os, ou que les marchandes ramenaient des
hauteurs de fraîches nouvelles des gendarmes assassins. Le
soleil nous engourdissait comme des zandolis, l'ombre forte
des grilles découpait le marché, les marchandes courbaient
le dos entre leurs jambes écartées, les carreaux des établis
blanchissaient le silence : un vent de nuit égaré nettoyait les
allées.

*

Quand pour dix-huit heures
surgissaient les lumières
(fruits de feu des pieds de cocos-fer)
nous traînions nos ombres
comme boulets de cayenne

La bonne odeur des fruits
avait un peu suri
et les feuilles affranchies
décoiffaient les allées

Sueur du jour séchant
le premier vent de nuit traversait les silences

Ah, tant de lenteur chez les marchandes
qui remballaient

Le balan d'arrivée avait bien avorté

Les premières ombres n'honoraient jamais
aucune promesse de l'aube

266

Yin-yin et moustiques
nourrissaient chaque ampoule
d'un vieux lait pointillé

Crissement des paniers embarqués
Etablis luisants comme des tombes
l'ombre assiégeait les cinq taches de lumières
et la vie s'expulsait doucement
talonnée du balai des zombis municipaux
flottant dans les allées mouillées

Nous quittions les lieux
comme et avec les ordures.

*

Or on passait le soir
toutes les dalles au crésyl

Ce lait bleu dispersait la vie
tombée du jour

Oo cette rumeur attardée auprès des établis
c'est
grande chasse de voix perdues
et fruits là sans espoirs
mal écoutés

le marché vivait sans nous
une nuit désinfectée

*

Au pipiri chantant
brouettes en débandade
nous prenions courir vers les marchandes
arrivant des communes

Les rues étaient désertes
et la ville était nue

Nous baissions des yeux pudiques
sur sa nuque de veuve digne
malgré l'insulte criée
des troupeaux de poètes

Vieux carreau à sarcler oo

nous sommes de nouveaux muscles
et savons le coup-de-main

CHUTES ET NOTES
de la Chronique

Quatre années d'écriture. Un genre d'obsession : des phrases que l'on griffonne, des mots, des répliques. Une idée que l'on prend d'écriture sans trop savoir ce que l'on va en faire. Des personnages qui apparaissent, qui se développent, défaillent et s'en vont du récit. Des émotions, des odeurs, des sensations ramenées d'on ne sait où, qui ont l'air bonnes, et qui tombent comme des feuilles mortes. Que de génocides pour un simple roman, que d'hécatombes pour une silhouette...

P. C.

La patience seule, se nommait.

*

Il eut alors des paroles inutiles sur un mystère à la limite d'une eau où chaque goutte est en gésine d'un poisson.

*

Sous l'auvent du marché, nous guettions, malades, cette nuit de Mai où vingt-deux peurs dispersées nous déliteraient la jungle.

*

Oh, vertige du tomber.

*

Tout sourire démantelé.

*

Avec les pluies tièdes, tu devenais paisible. Oublié macadam, tu risquais dans ta nuit une marronne sans flambeaux. Comment savoir, Pipi, que tu déliais des nasses de couleurs,

271

des oiseaux de bois-vert au plumage de sève, les chaudes têtes d'un gazon?

*

Toutes qualités-modèles de chair mortes.

*

Il se souvint de la source Alma : son jet est une forme végétale, inachevée dans un gloussement perdu de fragiles dentelles.

*

Ah, les marchandes du rêve perçaient tout bonnement nos vies indéhiscentes d'un vomitoire vers des portes oubliées.

*

Ephermise fréquentait le marché depuis deux ans déjà. Elle vendait des bottes de carottes maigres, des herbes de calalou, et parfois quelque igname. Le gardien lui avait donné son coin près des balais, juste dans l'axe central, et pièce pas, pièce coup de yeux, ne se pouvait sans buter sur elle. Pour le djob, elle était généreuse. Yeux de pluie brillants d'une capture de soleil, corps sans eau de Coulie, tétés plats du nourri de quatorze enfants. Huit d'entre eux enrobaient toujours son panier d'un ouélélé de merles. Sirop qui savait les faire rire, gagna le cœur de la Coulie, et passa trois dimanches dans sa case d'Ajoupa-bouillon : pour œuvrer, il délaçait la marmaille dans le bourg.

*

Lui dire de Sirop les trois souvenirs : l'ombre, le sang, la mort. Et, sans nous incliner pour le respect des choses, lui dévoiler qu'à rêve armé l'homme était rêveur, toujours rêveur, rêveur terrible.

＊

Ici, des rêves mal finis se brisaient entre eux sans aucune étincelle. Des regrets insistants encerclaient, desséchés, des sources imaginaires. L'ennui était massif, et se tenait tout droit dans une charge de plissements : Marie-Julie eut les yeux vides vers quinze ans.

＊

Ici, tous feux éteints, l'incroyable n'étonne plus l'impossible.

＊

Nous avions repeint ta brouette, frotté les roues au vinaigre et au sel, tapissé le fond de linoléum, resserré le klaxon, rallumé les dorures. Flamboyante comme à ta plus belle époque, et rangée à sa place, elle te nommait chaque jour. Seulement voilà, Pipi : pluies, soleil et vents lui chantèrent une vie telle que nous la vîmes là même en descendante comme ces anolis solitaires sur des arbres perdus. Oh, pas de bourgeon ici, métier à hauteur d'homme en dérive, et djobeurs de fin de siècle – sans siècle de vie.

＊

A vrai dire, le cyclone nous donna une jeunesse. Fort-de-France en émotion buvait la boue à nos chevilles : que de charrois sans fin pour tous les Syriens ! On parla même de nous dans notre radio ! Et pendant quelques jours impossibles notre sinistre fut réel...

＊

Il y avait chaque jour un mot chaviré de notre langue pour tomber dans l'oubli. Ils n'y faisaient pas de fleurs ou même de vestiges pétrifiés en savane. Fuite sans marronnage.

273

Madame Carmélite tu pris courir vers l'aéroport, laissant panier, et même mouchoir de tête. Ton silence augmenta le silence du marché dans la lèpre sans merci des places qui se vidaient.

*

Elmire, un jour, nous renversa sous d'autres qualités de créoles. Les mots nous étaient de famille et d'étrange. Nous baignions dans une ville habituelle aux dédales surprenants de quelques quartiers nouveaux. Nous perçûmes des choses anciennes qui lancinèrent nos langues, un razié bien serré sans aucune clairière, et de brusques touffes de fleurs sans maîtres qui semblaient nous connaître. Eblouis d'une réelle opacité où nous percevions tout. Elmire riait de notre émoi. Nous l'écoutâmes, fascinés de nous savoir rafale sur cette région et en pièce manière éteints aux vagues de nos plages. Elle nous voulut de vrais regards sur les terres bleues des horizons, et nous montra du doigt d'invisibles clandestins.

*

La famine semait des visites que nous ne savions pas refuser. Elle prit pieds, une heure, dans la brouette de Didon : dans cette ouverture, le rhum régla ses comptes – tout suite.

*

Scellée rate : quand nous saisîmes la rate, Bidjoule eut la mauvaise idée de la mettre en dame-jeanne où le premier jour elle tourna dans l'angoisse, où le deuxième elle marcha parderrière, où le troisième elle perdit sens aux cris, le quatrième trois souvenirs, et le cinquième la couleur du regard.
Son sixième jour nous bouleversa : la scélérate allait comme nous.

274

*

Appuyés contre la grille, un pied sur les brouettes, nous voyions débouler les acheteuses dociles des surfaces made-in-france, pour l'extra du samedi. Pas un panier de marchande qui n'était négocié! Pas de fruits en splendeur indiscutable, d'ignames ou de patates à poids définitif : là toute sueur se marchandait – toute existence aussi.

*

Marie-Julie, disait Man Goul, les Syriens ont bien changé, eux que j'ai connus, laisse-moi te dire, misérables derrière leurs brouettes de chiffons que nous achetions par peine de les voir sillonner le pays comme chiens sans maîtres. Regarde à présent ces vitrines, ces marbres, ces lumières. Ils n'ont plus nos lampes à pétrole, nos petites cayes en bois. Ils vivent leur corps dans du satin, sur des carreaux, et ne viennent plus avec nous, vers minuit, à la dépose des tinettes. Ce fut le seul conte de fées pour cette petite marchande plus triste que les autres

*

Anaïse, comment taire ta chute inattendue? Drapée de blanc, tu enfarinas ta peau noire et respiras sans cesse l'éther. Ta silhouette grise alluma les rires, et ton rêve d'achromie à cueillir livra facile ton sexe aux treize obsédés. Quand disparaître te prit, nous récoltâmes, près du Crédit Agricole, un ti-brin de farine : regard d'aveugle oublié des pupilles et des cils, oh, il résumait blanc ton malheur.

*

La Toussaint s'annonçait dans nos brouettes de fleurs qui plantaient un jardin pour couronne au marché. Les heures nous prenaient sur les djobs de Trabaut ou du cimetière des riches, peintres de la chaux, virtuoses de la dorure, fléaux des herbes folles et des cacas-bougies. Avec les premières ombres (c'était violet) mille étoiles domestiques balisaient les regrets (c'était jaune huileux), cœur d'incendie pour Fort-de-France dans le Novembre des tombes (c'était rouge d'horizon), et l'ambiance était incomparable pour un fond de serbi (comètes sales de nos dés).

*

Les marchandes d'ananas du Morne-Rouge, nous donnaient des nouvelles de Colson : navire de brumes des bois de Balata, juste entrevu dans une faille des rideaux de bambous. Nulle pluie ne l'effritait. Oh, Colson, sacré patient flaireur, seul banquier du grand serbi, tu nous laissais l'aller possédant le venir, chien-fer en embellie sur nos virers...

*

L'espère patiente de Man Sidore lui baillait ce regard trouble des bonites capturées, et l'ombre des grilles rythmait des tranches régulières. A l'entour, des bâchées cabossées déchargeaient les paniers du retard : des *Yélélé* saluaient d'inattendus *Mi mwen*. Deux chiens malcadis venaient humer les paniers d'à-tous-maux malgré la haine criée. Près de la grande porte, le riz du macadam était lavé, et la morue trempait. Le crésyl séché empoignait les allées d'une trame laiteuse. Quelques feuilles flavescentes, tombées des transbords, entamaient ce tapis achevé pour le soir. Un petit chabin comptait ses pas près du panier de mangots. Le parfum des fruits mûrs commençait à lever. Les grilles écartelaient madras et tapis syriens qui stoppaient le soleil. L'employé municipal, dressé sur la fontaine, décomptait son troupeau, traquait les clandestines, l'œil en procès-verbal. Au milieu : le rouge inattendu des tomates et les malédictions, en aller-venir, de deux marchandes guerrières. Les tôles commençaient à envoyer descendre une chaleur que diffusait tiède le vieux vent du canal. Le couinement feutré des roues de nos brouettes, croissait ou décroissait aux domaines des portes. Le ton des voix joignait la chaleur. Les balances tâtonnaient l'équilibre. Les couteaux déchiffraient des cœurs de racines, les fleurs étaient mariées à contre-couleurs, et les marchandes, jambes en trois heures et quart, coudes aux genoux, visage en auréole de leur offrande, chargeaient pour la journée le regard trouble des orphies capturées.

*

Malgré la voirie de la nuit, le dalot avait serré un vieux chien mort d'un coup de haine. Une mousse crasseuse lui branchait des nuages. Des feuilles de mandarines du matin, promettaient à son ventre un mensonger gazon. Une première chaleur le travaillait de lointains frémissements. Les kia kia kia de Bidjoule, seul à lui prendre hauteur, lui tinrent toute la sainte journée du marché, une compagnie sans commune mesure avec un bol de toloman.

*

Les sacs de charbon signalaient son domaine d'un envol régulier de nuit vite dispersée. Devant, Solibo trônait comme pape des gros-nègres entassés : parcours de ravets rouges et de clakclak kakos en famine débandée sur une calamité qu'ils ne soupçonnaient pas.

*

Chant de l'igname

Dire l'igname-bâtard, plat de rareté, piqué de petites tresses. L'igname bamboche, débardeur permanent d'une lointaine amertume. Oo, l'igname blanche, disait Pipi, aux yeux bridés, ailée et farineuse, la manger c'était pleurer sur ça. L'igname jaune ici-là, longs doigts noirs guinéens, vite présente à l'appel. La grosse-tête, la Patte-chouval et l'Ador. La Bocodji, manman, exigeante du coup de dents par en bas. Dire et pas oublier, la couscouche, fille de l'Autre Amérique, elle s'ouvre blanche mousse, fine et fondante : il y a par ici des courirs sur ça...

Pour nous rassurer, nous lisions chaque jour ces entassements terreux qui tordaient les paniers. Man Goul contrôlait la Parole.

277

Nous pleurions sur les raziés rouillés des usines, mais Elmire se lamentait sur les misères courbées dans les miroirs d'acier d'Europe, la graisse des engrenages américains, l'odeur lourde et les cordes de fumées des usines battantes, loin d'ici.

Nous pleurions sur le béton, gobeur des terres fécondes, mais Elmire chignait sur la dèche boueuse des champs, des tortures agricoles de l'Autre Amérique, juste en face.

Nous pleurions la déroute des yoles sur l'humeur des vagues, mais Elmire la voyageuse disait savoir l'ombre rongeant les hommes aux yeux bridés, au bord des tapis de poissons, dans des monstres flottants, vers miquelon.

Pleurez plutôt, hurlait-elle, l'oiseau Gogo qui crut bon se noyer pour une gorge un peu sèche, ici même.

*

A Saint-Joseph, quatre Chabines calcinent des pieds-piment en levant leur chaleur.

*

Petit poète, disait Elmire, n'invente pas un chant de fleuve quand c'est la mousse qui mine le fer.

*

Au plus loin des déclives intérieures, nous nattions, exsangues, les racines de l'absence.

*

Ta dernière figure, Sirop, luisait de la graisse moite des midi et demi quand l'horizon rouge des anciennetés du rhum naufrageait ton regard. Nous savions, ho, la raideur de ton col et tes lèvres trop bleutées sur ta dernière mélia. Ce mal était une chienne, sans maître ni sentiment, nous en fûmes

278

pétrifiés, vraies victimes d'un orage comme dans ce jour
repeint d'éclat où un rasta débaptisa la ville.

*

O vertige neuf de libertés obscènes !

*

Puis vint l'heure où le silence fut le plus aimé de ses
voyages.

*

Il y voyait toute une géographie d'ombres où commettre de
vastes naissances.

*

Un sentiment étrange la nomma aux battements de son
cœur.

*

Avec une aigre ferveur qui lui forçait les lassitudes, Afoukal
promettait à sa mémoire l'audience des désordres sacrés.

*

Au-dessus du pont Gueydon, il se voyait dans l'eau : seul
malheur possible dans le reflet.

*

Pour Amélia, le service n'était pas possible : elle halait entre
les établis une douleur d'en dedans : oo djobeuse du
cœur.

*

Bonne-Manman avait été déréglée par la mort de son mari. Crâne rasé, elle s'endormait sur le parvis de l'église, laissant poussières et araignées envahir le bistrot. La Tok-tok ne se bornait plus qu'à ouvrir et s'embusquer derrière le comptoir graisseux dans l'attente de clients qui ne venaient jamais, tant cela nous coupait la soif de la voir ainsi. Chinotte obtint le bar avec une pièce d'or étincelante que Bonne-Manman plaça trop vite sur son cœur, comme une hostie à conserver. L'acte de vente à peine signé, il est dit que cette pièce lui amena une joie malsaine. Possédée d'un rire inextinguible, elle avait durant quelques jours hanté le marché, affolant les touristes, le gardien municipal et même les chiens qui, la nuit, envahissaient l'endroit. Les gendarmes venus tracer un milieu dans l'affaire, purent l'embarquer sans cirque ni sauts. La délirante les suivit docilement dans la jeep, chantant à gorge déployée, saluant de la main comme les papes et De Gaulle. Elle mourut dans une chambre de Colson, victime d'une toux rauque sans horizon.

DU MÊME AUTEUR

BIBLIQUE DES DERNIERS GESTES, *roman*, 2002 (Folio n° 3942).

À BOUT D'ENFANCE, coll. Haute Enfance, *mémoires*, 2004 (Folio n° 4430 : *Une enfance créole*, III).

UN DIMANCHE AU CACHOT, *roman*, 2007. Prix RFO 2008 (Folio n° 4899).

LES NEUF CONSCIENCES DU MALFINI, *roman*, 2009 (Folio n° 5160).

LE DÉSHUMAIN GRANDIOSE, coffret comprenant *L'Esclave vieil homme et le molosse* (Folio n° 3184), *Un dimanche au cachot* (Folio n° 4899) et une postface, *De la mémoire obscure à la mémoire consciente*, 2010.

Chez d'autres éditeurs

MANMAN DIO CONTRE LA FÉE CARABOSSE, *théâtre conté*, Éd. Caribéennes, 1981.

AU TEMPS DE L'ANTAN, *contes créoles*, Hatier, 1988. Grand Prix de la littérature de jeunesse.

MARTINIQUE, *essai*, Éd. Hoa-Qui, 1989.

LETTRES CRÉOLES, tracées antillaises et continentales de la littérature, Martinique, Guadeloupe, Guyane, Haïti, 1635-1975, en collaboration avec Raphaël Confiant, *essai*, Hatier, 1991 (Folio Essais n° 352, nouvelle édition).

GUYANE, TRACES-MÉMOIRES DU BAGNE, *essai*, C.N.M.H.S., 1994.

LES BOIS SACRÉS D'HÉLÉNON, en collaboration avec Dominique Berthet, *Dapper*, 2002.

QUAND LES MURS TOMBENT. L'identité nationale hors-la-loi?, en collaboration avec Édouard Glissant, *essai*, Galaade, 2007.

TRÉSORS CACHÉS ET PATRIMOINE NATUREL
DE LA MARTINIQUE VUE DU CIEL, avec des photo-
graphies d'Anne Chopin, *HC*, 2007.

LES TREMBLEMENTS DU MONDE, *À Plus d'un Titre
Éditions*, 2009.

L'INTRAITABLE BEAUTÉ DU MONDE : ADRESSE
À BARACK OBAMA, en collaboration avec Édouard Glissant,
Galaade Éditions, 2009.

*Impression Novoprint
à Barcelone, le 20 novembre 2012
Dépôt légal : novembre 2012
Premier dépôt légal dans la collection : août 1988*

ISBN 978-2-07-038602-6./Imprimé en Espagne.

249493